Intelligent investieren in Immobilien

Die Schnellstart-Anleitung für Einsteiger.
Wie Sie Immobilien als Kapitalanlage
nutzen, um passives Einkommen
aufzubauen und Ihre
Altersvorsorge abzusichern

Bernd Ebersbach

Achtung, Gratis-Bonusheft!

Mit dem Kauf dieses Buches haben Sie ein kostenloses Bonusheft erworben. Dieses steht für eine begrenzte Zeit zum Download zur Verfügung.

Bei diesem Bonusheft handelt es sich um den **Immobilien Schnellreport.**

In diesem Heft erhalten Sie einen Kurzüberblick, in welchen 10 deutschen Städten sich im Moment ein Immobilienkauf besonders lohnen kann.

Alle Informationen, wie Sie sich schnell das Gratis-Bonusheft sichern können, **finden Sie am Ende dieses Buches.**

Inhaltsverzeichnis

Vorwort

Immobilien rücken als Kapitalanlage aufgrund des boomenden Immobilienmarktes hierzulande zunehmend in den Vordergrund. Aufgrund der Niedrigzinsphase ist die Finanzierung einer Immobilie mittlerweile einfacher als noch vor zwei Jahrzehnten. Dies ruft mehr und mehr Personen auf den Plan, die sich den Traum von einer eigenen Immobilie erfüllen wollen. Neben den Leuten und Familien, die die Immobilie für sich selbst finanzieren, gibt es ebenso Personen, die die Immobilie zur Fremdnutzung erwerben möchten, um Mieteinnahmen zu generieren. Ebenso existiert jene Gruppe an Personen, die gewerblichen Handel mit Immobilien betreiben möchte, wobei An- und Verkauf von Immobilien zur Debatte stehen. Dieser Ratgeber wird zunächst allen Zielgruppen gerecht: Ob Kapitalanleger, die vermieten möchten, oder Kapitalanleger, die an- und verkaufen möchten! Auch Personen, die eine Eigennutzung anstreben, sind in diesem Ratgeber gut aufgehoben, da sie elementare Kenntnisse zu den Grundlagen der Immobilie erhalten.

Der gesamte Ratgeber besteht aus drei Teilen und vermittelt dabei essenzielles Wissen für Anfänger über die Kapitalanlage in Immobilien. Ebenso werden fortgeschrittene Personen einen Mehrwert aus diesem Ratgeber ziehen, da er die Grundlagen bis ins Detail erklärt und dabei Bereiche detailliert ausführt, in denen sogar Fortgeschrittene neues Wissen sammeln oder zumindest bestehendes Wissen strukturiert auffrischen können. Die drei Teile des Ratgebers setzen sich wie folgt zusammen:

◆ Aufklärung: Wieso ist insbesondere die Immobilie als Kapitalanlage so vorteilhaft?

- ◆ Strategien & Rechtliches: Auf welche Arten ist die Kapitalanlage in Immobilien möglich und was muss beachtet werden?

- ◆ Alternativen: Welche alternativen Kapitalanlageformen zur Immobilie gibt es und wie sind sie zu bewerten?

Da der Anspruch ist, den Lesern Wissen akkurat zu vermitteln und die Perspektive aufzuschließen, sich eigene Urteile zu bilden, weist dieses Buch einen hohen Praxisbezug auf. Im Rahmen dieses Praxisbezugs wird in mehreren Bereichen mit Gesetzen gearbeitet, die die verschiedenen Gesetzbücher beinhalten und die für die Kapitalanlage in Immobilien essenziell sind. Die Gesetze werden verständlich ausformuliert, sodass die Grundlagen vom Offensichtlichen bis ins Detail für jeden Leser verständlich werden. Beispielrechnungen und reale Bezugsgrößen zu den einzelnen Abschnitten werden es den Lesern ermöglichen, das Erlernte direkt in die Praxis umzusetzen: Von der Bewertung der Rendite von Immobilien bis hin zum korrekten Ausfüllen einer Steuererklärung als Vermieter.

Zunächst werden die Vorteile der Immobilie als Kapitalanlage erklärt, wobei vor allem zwei Sichtweisen aufgegriffen werden – zum einen die des Durchschnittsmenschen, der seine Rente aufbessern möchte, und zum anderen die Sichtweise des Investors, der auf einen gezielten und langfristigen Vermögensausbau mit vielversprechender Renditeaussicht aus ist. Um die Personen mit der Intention einer Rentenoptimierung adäquat zu bedienen, stellt das erste Kapitel die gesetzliche Rentenversicherung sowie weitere Vorsorgemethoden vor. Mithilfe der Einführung ins Rentenpunktesystem erlernt der Leser, seine eigene voraussichtliche Rente zu berechnen. Dabei wird auffallen, wieso eine Kapitalanlage in Immobilien erforderlich ist. Um den Investoren gerecht zu werden, folgt eine Einführung in die Mietspiegel und Kaufpreise sowie deren Entwicklung in einzelnen Städten Deutschlands, mit deren Hilfe die Renditeaussichten der Immobilie illustriert werden.

Nach diesem ersten Kapitel wird die Aufklärung als erste Säule des Ratgebers abgearbeitet und der Grundstein geschaffen sein, um sich mit den verschiedenen Anlagestrategien detailliert zu befassen. Dabei wird das Hauptaugenmerk auf der Aktivität als Vermieter liegen, da diese eher dem Begriff der Kapitalanlage entspricht als der An- und Verkauf. Da der An- und Verkauf ein gewerblicher Handel ist und dem Begriff der Kapitalanlage nur im fernen Sinne entspricht, wird dieser in einem kurzen Kapitel erläutert. Den Großteil der Säule „Strategien und Rechtliches" in diesem Ratgeber wird die Immobilie zur Vermietung bilden, wobei die Immobilien-Bilanz als essenzielles Glied vorgestellt wird. Ein separates Kapitel stellt die Immobilie in der Steuererklärung vor und führt präzise in die Regeln ein, auf welche Art und Weise Gebäudeabschreibungen, Instandhaltungsrücklagen und weitere Faktoren in der Steuererklärung geltend gemacht werden. Präzise Beispielrechnungen und Erläuterungen zum Steuerformular werden es Anlegern ermöglichen, die Steuererklärung selbst auszufüllen, was die Kosten für einen Steuerberater und viel Zeit sowie Fragezeichen im Falle eines Selbstlernens erspart.

Die dritte Säule des Ratgebers „Alternativen" befasst sich mit alternativen Anlagestrategien, die erklärt und abschließend einer Bewertung unterzogen werden. Die Vorstellung des Rendite-Dreiecks wird sämtlichen Lesern die Fähigkeiten verschaffen, alle Kapitalanlageformen selbstständig zu bewerten und einem Vergleich mit der Immobilie als Kapitalanlageform zu unterziehen. Die Anlageformen, die vorgestellt werden, sind der Wertpapierhandel, die Immobilienfonds als Unterkategorie der Wertpapiere, Gold und eine Auswahl weiterer Kapitalanlageformen, worunter auch die Kryptowährungen in Kürze abgehandelt werden. Ziel des letzten Kapitels ist es, mit der Kenntnis über andere Kapitalanlageformen das Bewusstsein dafür zu schaffen, wieso die Immobilie eine angesehene Stellung genießt und unter bestimmten Blickpunkten als besonders vorteilhaft bezeichnet wird. Falls Personen aus dem Bekanntenkreis oder fremde Menschen Zweifel an der Immobilie zur Kapitalanlage streuen, werden die Kenntnisse des letzten Kapitels dazu beitragen, fundiert begründen zu können, weswegen die Immobilie die bevorzugte Form der Kapitalanlage für einen selbst ist.

Zum Abschluss des Buches erwartet den Leser ein Glossar, welches die wichtigsten Begriffe aufführt und erklärt. Darunter finden sich die Ausformulierungen von Abkürzungen sowie Begriffe, die möglicherweise dem einen oder anderen Leser nicht geläufig sind. Dabei werden hauptsächlich jene Begriffe erläutert, die im Kontext mit der Immobilie als Kapitalanlage für Anleger essenziell sind.

Wie bereits erwähnt erhalten Sie zusätzlich Zugriff auf Bonusmaterial. In diesem werden zehn deutsche Städte vorgestellt, in denen Immobilien aktuell zu fairen Preisen erhältlich sind und eine potenziell große Entwicklung vor sich haben.

Viel Erfolg beim Durcharbeiten des Ratgebers und beim Lernen!

Vorteile und Nutzen der Immobilie als Kapitalanlage

Immobilien sind in aller Munde. Steigende Miet- sowie Kaufpreise, politische Debatten, öffentliche Auffassungen und Investitionsbereitschaften der Anleger sorgen dabei für zwiespältige Meinungen. Während Mieter und Politik darüber klagen, dass die Mieten in Großstädten eine zu starke Belastung seien, ist rein aus Sicht der Vermieter und Anleger klar: Immobilien bilden ein lukratives Investment zur Kapitalanlage ab. Mittlerweile schweift die Bedeutung der Immobilie in zahlreiche Richtungen aus und ist nicht nur ein Instrument zur Generierung von Vermögen, sondern ein Statussymbol oder für Personen mit einer voraussichtlich schwachen Rente eine Gelegenheit zur Optimierung der Rente. Dieses Kapitel thematisiert die Vorteile der Immobilie, wobei neben den wichtigen Renditeaussichten für Investoren über die Problematik der Rentenversicherung in Deutschland aufgeklärt wird. Denn letzteres ist ein wichtiger Grund für eine Person mit einem durchschnittlichen Einkommen, die Anlage des Geldes in Immobilien zu erwägen.

Grundlegende Bedeutung der Immobilie

Eine Immobilie zu haben, kann für jede Person eine andere Bedeutung aufweisen. Während die einen darin ihr Kapital anlegen, um Vermögen aufzubauen, sind die anderen bestrebt, sich durch eine oder mehrere Immobilien eine gute Altersrente zu sichern. Allem voran der letzte Punkt ist in Zeiten einer schwächelnden und perspektivlosen gesetzlichen Rentenversicherung für Anleger ein Motiv.

Als grundlegende Motive von Immobilien zur Kapitalanlage sind folgende Aspekte auszumachen:

- ♦ Statussymbol
- ♦ Kindern vererben
- ♦ Passives Einkommen
- ♦ Optimierung der Rente

Statussymbol

Eine Immobilie ist in vielfacher Hinsicht ein Statussymbol, das auch für Vermögen und Macht steht. Nicht umsonst ist die Assoziation mit dem jahrhundertelang begehrten Gold präsent, wenn von Immobilien als *Betongold* die Rede ist. Waren vor einigen Jahrhunderten Ländereien erschwinglich und das Eigentum von Gold eine Seltenheit, haben sich die Dinge grundlegend gewandelt: Immobilien genießen in zunehmenden Teilen der Bevölkerung ein größeres Ansehen, da sie durch den demografischen Wandel, Wohnungsknappheit, Mietanstieg und Wertsteigerung immer schwieriger zu finanzieren sind. Wer sich den finanziellen Kraftakt eines Immobilienkaufs leistet, wird als vermögend betrachtet. Dies sichert der Person einen Status, der andere Personen aufschauen lässt und diese zum Immobilienkauf animiert.

Doch Statussymbole sind nicht per se mit Hoffnungen auf gesellschaftliches Ansehen gleichzusetzen. Eine Immobilie ist auch ein Symbol für ein erfüllteres und entspannteres Leben. Denn wer sich durch den Besitz einer Immobilie die Miete erspart oder sich als Vermieter zusätzliches Einkommen sichert, darf davon ausgehen, in finanziellen Schieflagen mehr Sicherheit zu verspüren. Personen von außen mögen es dementsprechend so auffassen, dass Menschen mit Immobilienbesitz glücklicher sind. In der Tat legten Ergebnisse einer in der Zeitschrift WELT veröffentlichten Umfrage offen, dass 36 % der amtierenden und befragten Mieter glaubten, durch Wohneigentum glücklicher zu werden[1].

Kindern vererben

Zwar ist das Vererben von Immobilien in Einzelfällen ein rechtlicher und steuerlicher Drahtseilakt, aber unter Berücksichtigung der Gesetze profitieren Kinder von einer vererbten Immobilie:

- ◆ Zuwachs an Perspektiven im Leben
- ◆ Absicherung der Zukunft
- ◆ Geringere Lebenshaltungskosten

In der berechtigten Annahme, dass Eltern ihre Kinder lieben und in deren Interesse handeln, ist eine Kapitalanlage in Immobilien potenziell zahlreiche Generationen übergreifend vorteilhaft. Denn das angehäufte Vermögen können die Kinder reinvestieren und somit weitere Immobilien aufkaufen. Dies trägt zu einem größeren Kapital bei und sichert die Zukunft zuverlässig ab. Auch haben Kinder, falls sie die Immobilien verkaufen möchten, den Vorteil, dadurch Verkaufserlöse zu generieren, die ihnen mehr Perspektiven im Leben bieten: Vom Auslandsstudium über Investitionen in eigene Vorhaben bis hin zur finanziellen Sorgenfreiheit. Beziehen Kinder die Immobilie selbst, so verringern sich durch Wohneigentum die Lebenshaltungskosten, an denen die Miete ansonsten einen maßgeblichen Anteil hat.

Passives Einkommen

Legt man dem passiven Einkommen die offizielle Definition zugrunde, „dass das Einkommen langfristig und ohne unmittelbare(n) Aufwand/Zeitinvestition erzielt wird[2]", so fügt sich eine Kapitalanlage in Immobilien nur bedingt stimmig ins Gesamtbild ein. Denn

---

[1] Vgl. https://www.welt.de/finanzen/immobilien/article140709048/Wohneigentum-macht-die-Deutschen-gluecklich.html
[2] Vgl. https://www.rechnungswesen-verstehen.de/lexikon/passives-einkommen.php

egal, ob die Immobilie marode gekauft, renoviert und wiederverkauft wird oder eine Vermietung erfolgt, ein gewisser Aufwand ist nicht zu leugnen. Der Vermieter beispielsweise muss sich darum kümmern, Mieter für die Wohnung zu finden. Sind diese da, muss er für Rückfragen zur Verfügung stehen, sich bei aufkommenden Problemen um die Mieter sowie die Immobilie kümmern und anderweitigen Verpflichtungen nachkommen. Stellt der Mieter jedoch eine Hausverwaltung ein, so reduzieren sich seine Pflichten. Dementsprechend lässt sich unter bestimmten Bedingungen von einem passiven Einkommen sprechen: Ist das Kapital einmal angelegt, wird von diesem Zeitpunkt an Einkommen generiert, ohne dafür arbeiten zu müssen. Durch den Besitz mehrerer Immobilien wird die Möglichkeit geschaffen, überhaupt nicht mehr arbeiten zu müssen. Dies ist eine Aussicht, die die wenigsten Kapitalanlageformen bieten.

Optimierung der Rente

Einst existierte das Drei-Säulensystem zur Altersvorsorge in Deutschland. Dieses sah vor, auf drei Wegen für das Alter vorzusorgen:

- ◆ Gesetzliche Rentenversicherung
- ◆ Betriebliche Altersvorsorge
- ◆ Private Altersvorsorge

Die drei Säulen existieren heute nach wie vor. Doch die wenigsten Personen sorgen auf allen drei Wegen für ihr Alter vor.

Zwar ist die gesetzliche Rentenversicherung existent, aber aufgrund des demografischen Wandels und der Einkommensmissverhältnisse sind die Perspektiven für die nächsten Jahrzehnte äußerst negativ. Eine ausführliche Erörterung samt Begründung erfolgt im nächsten Unterkapitel.

Der Anteil der Personen, die eine betriebliche Altersvorsorge in Anspruch nehmen, beläuft sich auf 17,4 Millionen[3] bei einer Bevölkerungsanzahl von knapp über 82 Millionen in Deutschland. Zwar hat sich in den letzten 20 Jahren der Anteil gesteigert, doch ist die Menge an Personen mit betrieblicher Altersvorsorge derart gering, dass nicht von einer landesweit adäquaten Säule die Rede sein kann. Des Weiteren birgt die betriebliche Altersvorsorge das Problem, dass sie für Personen, die nicht gesetzlich rentenversicherungspflichtig tätig oder selbstständig sind, nicht möglich ist. Außerdem beteiligt sich nicht jeder Arbeitgeber an den Kosten für eine betriebliche Altersvorsorge, was mit größeren finanziellen Einbußen für die Arbeitnehmer einhergeht.

Die private Altersvorsorge wiederum ist von Produkt zu Produkt separat zu bewerten. Hier gibt es jene Produkte, die nach dem Prinzip von Sparbüchern funktionieren und eine feste Verzinsung vorsehen. Das Problem: Die Niedrigzinsphase in Kombination mit der Inflation führt dazu, dass unterm Strich ein Verlust entsteht. Damit ist gemeint, dass das angelegte Geld in Zukunft einen geringeren Wert hat als zu dem Zeitpunkt, zu dem es angelegt wurde.

---

[3] Vgl. https://de.statista.com/themen/1127/betriebliche-altersversorgung/

Hinweis

Die Niedrigzinsphase ist eine Folge der Weltwirtschaftskrise aus dem Jahre 2007. Sie hat eine Senkung des Leitzinses durch die Zentralbanken zur Folge. Ist der Leitzins gering, sind Banken in der Lage, sich Geld zu geringen Zinsen – also günstig – zu besorgen. Dies wiederum führt dazu, dass die Banken ihrerseits die Zinsen für Kredite, Sparverträge und anderweitige Produkte senken. Hat dies für Unternehmen noch Vorteile, da durch die günstigeren Kreditzinsen die Investitionsbereitschaft und das Unternehmenswachstum steigen, liegt hierin für Sparer ein Problem. Aufgrund der gesunkenen Zinsen werfen die Sparbücher und Tagesgeldkonten kaum noch Rendite ab. Ein Vergleich der Banken zeigt, dass die Rendite zwischen 0 und 0,5 % liegt[4]. Dies allein würde noch nicht bedeuten, dass das Sparen ein Verlustgeschäft ist, da die Zinsen nicht negativ sind.

Aus diesem Grund ist es erforderlich, die zweite Komponente zu berücksichtigen: Die Inflation. Unter einer Inflation ist die Entwertung des Geldes zu verstehen, die aus einer Erhöhung des allgemeinen Preisniveaus resultiert[5]. Um die Inflation zu ermitteln, werden fiktive Warenkörbe mit realen Produkten erstellt, wobei in jedem Jahr kontrolliert wird, wie stark das Preisniveau angestiegen ist. In den letzten Jahren schwankten die jährlichen Inflationsraten, wobei sie jedoch stets über den Zinsen von Sparprodukten lagen. Auf diese Weise entsteht durch das Zusammenspiel von Niedrigzinsphase und Inflation ein Verlust durch die Kapitalanlage in Sparbücher und private Altersvorsorgeverträge, die auf dem Prinzip von Sparbüchern basieren.

Als Alternative existieren private Altersvorsorgeprodukte, die einen Markt aufgreifen, der Aussichten auf höhere Renditen bietet, aber im gleichen Zuge mehr Risiken beinhaltet: Den Aktienmarkt. Um das Risiko zu streuen, werden Aktienfonds oder ETFs gehandelt, die einen Zusammenschluss mehrerer verschiedener Wertpapiere darstellen. Macht der Kurs eines Wertpapiers einen Verlust, so fängt das restliche Portfolio dies auf. Nachteil allerdings

---

[4] Vgl. https://www.tagesgeldvergleich.net/tagesgeldvergleich/sparbuch.html
[5] Vgl. https://www.rechnungswesen-verstehen.de/bwl-vwl/vwl/Inflation.php

bei diesen Produkten der Altersvorsorge: An der Börse gibt es keinerlei Garantien; außer jene, dass es ein Risiko gibt, das Geld zu verlieren. Mehr dazu ist im letzten Kapitel des Buches über *Alternative Kapitalanlageformen* aufgeführt.

Als eine vierte Säule fügen sich in dieses Gesamtbild die Immobilien als Kapitalanlage ein. Zwar lässt sich keine Garantie aussprechen, dass es nicht zu einer platzenden Immobilienblase kommt, die einen Wertverlust der Immobilie zur Folge hat, aber die unleugbare Qualität der Immobilie ist, dass sie den Sachwerten angehört.

Sachwerte sind dahingehend vorteilhaft, dass sie Sicherheit verschaffen, die Geldwerte vermissen lassen:

- ♦ Inflationsschutz
- ♦ Sicherheiten bei Kreditaufnahmen
- ♦ Gebrauch möglich

Denken wir zurück an die Messung der Inflation, so stellen wir fest, dass diese an Sachen bzw. Waren gemessen wird. Somit bleiben Sachen von der Inflation unberührt. Sie eignen sich deswegen als Sicherheit bei Kreditaufnahmen. Banken beispielsweise stellen an Selbstständige hohe Anforderungen bei der Aufnahme von Krediten, was insbesondere Immobilienkredite betrifft. Doch wenn der Selbstständige bereits eine Immobilie besitzt, greift das Prinzip der *Immobiliensicherheit*. Eine Kreditaufnahme lässt sich realisieren, da die erste Immobilie die finanzierte Immobilie absichert. Zuletzt haben Sachwerte den Vorteil, dass deren Gebrauch möglich ist. Sollte im Alter also die Vermietung einer Immobilie nicht mehr gewollt sein, lässt sich diese selbst beziehen. Bezüglich der Immobilienblase darf eingebracht werden, dass diese sich nur dann langfristig schädigend bemerkbar macht, wenn in die falschen Immobilien investiert wird. Alle notwendigen Hinweise diesbezüglich warten in den Folgekapiteln.

Gesetzliche Rentenversicherung: Das Problem näher erläutert

Um das Problem und die vielfältige Kritik an der Gesetzlichen Rentenversicherung (GRV) in vollem Umfang zu verstehen, wird sie im Folgenden genauestens erklärt:

♦ Verfahren

♦ Rentenermittlung

♦ Prognose

Verfahren

Bei der Gesetzlichen Rentenversicherung findet kein Kapitaldeckungsverfahren Anwendung, sondern ein Umlageverfahren. Dies bedeutet, dass Personen, die aktuell arbeiten und Abgaben an die Gesetzliche Rentenversicherung entrichten, nicht für sich selbst in Zukunft einzahlen. Sie finanzieren mit den Abgaben die aktuellen Rentner. Im Gegenzug wird der Anspruch auf eine eigene Rente erworben. Diese wiederum wird von den kommenden Generationen der Beitragszahler finanziert.

Das Umlageverfahren setzt voraus, dass die Beitragszahler die Kosten für die Rentner stemmen. War dies früher noch der Fall, wobei 2014 ein minimaler Überschuss der Rentenkassen erwirtschaftet wurde[6], wandelt sich die Finanzierbarkeit zusehends. Dazu trägt einerseits der demografische Wandel bei, andererseits die gestiegene Lebenserwartung. Diese Problematik betrifft neben der Gesetzlichen Rentenversicherung ebenso die Gesetzliche Kranken- und Pflegeversicherung.

Rentenermittlung

Mit den folgende Ausführungen wird der Grundstein gelegt, um …

✓ … die eigene Rente zu errechnen.

---

[6] Vgl. http://www.bpb.de/politik/innenpolitik/rentenpolitik/223417/umlageverfahren-ruecklagen

✓ … das Problem der Altersarmut nachzuvollziehen.

✓ … die Dringlichkeit einer zusätzlichen Vorsorge zur Rente zu begreifen.

Die Ermittlung der künftigen Rente erfolgt über die vier Faktoren Entgeltpunkte, Zugangsfaktor, Rentenartfaktor und den aktuellen Rentenwert.

Entgeltpunkte

Ein Entgeltpunkt bzw. ein Rentenpunkt errechnet sich aus dem Jahresdurchschnittsverdienst (Brutto) in Deutschland. Dieses lag 2017 bei 46.560 €[7]. Somit erhalten Personen, die diese Summe verdient haben, einen Rentenpunkt für das Jahr. Personen, die mehr oder weniger verdient haben, werden dementsprechend mehr bzw. weniger Rentenpunkte zugeordnet. Insgesamt errechnen sich die eigenen Rentenpunkte mit folgender Formel:

Eigenes Jahresdurchschnittseinkommen (Brutto) : Jahresdurchschnittseinkommen in Deutschland (Brutto)

Beispielrechnungen

1. 30.000 : 45.560 = 0,7 Rentenpunkte
2. 45.560 : 45.560 = 1 Rentenpunkt
3. 79.000 : 45.560 = 1,7 Rentenpunkte

Es ist allerdings eine Obergrenze von 2 Rentenpunkten festgelegt. Unabhängig von der Höhe des Gehalts sind also pro Jahr nicht mehr als 2 Rentenpunkte möglich.

---

[7] Vgl. https://de.statista.com/themen/293/durchschnittseinkommen/

Zugangsfaktor

Der Zugangsfaktor erweist sich in der Rechnung als komplizierter Posten. Er ermittelt die Konsequenzen dessen, wenn zu früh in Rente gegangen oder sogar über das Rentenalter hinaus gearbeitet wird. Ist keines von beidem der Fall – also wird direkt mit dem gesetzlichen Mindestrentenalter ausgestiegen – so beträgt der Zugangsfaktor 1,0 und ändert an den Entgeltpunkten nichts. Bei einem früheren Renteneintritt ist festgesetzt, dass für jeden Monat Rente eine Senkung des Zugangsfaktors um 0,3 % erfolgt. Wiederum jeder Monat Arbeit, der über das gesetzliche Mindestrentenalter hinausgeht, erhöht den Zugangsfaktor um 0,5 %[8]. Gehen wir von dem künftigen Renteneintrittsalter von 67 Jahren aus, welches seit 2012 durch eine schrittweise Anhebung in die Tat umgesetzt wird, ergibt ein Renteneintritt mit 67 Jahren den Zugangsfaktor 1,0.

Beispielrechnung:

1. Der Renteneintritt erfolgt mit 63 Jahren. Das ist vier Jahre, oder 48 Monate, früher als das gesetzliche Renteneintrittsalter.

2. Durch den früheren Renteneintritt senkt sich der Zugangsfaktor um 48 x 0,3 %; alternativ und leichter zum Rechnen um 48 x 0,003.

3. Zugangsfaktor = 1 - 48 x 0,003 = 1 - 0,144 = 0,856

Rentenartfaktor

Der Rentenfaktor ist ein fest definierter Bestandteil der Rentenformel, der sich aus der Art der Rente ableitet:

---

[8] Vgl. http://www.bpb.de/politik/innenpolitik/rentenpolitik/223009/die-rentenformel

Rentenart	Rentenfaktor
Renten wegen Alters	1,0
Renten wegen teilweiser Erwerbsminderung	0,5
Renten wegen voller Erwerbsminderung	1,0
Erziehungsrenten	1,0
Kleine Witwen- und kleine Witwerrenten	0,25 (Im Sterbevierteljahr: 1,0)
Große Witwen- und große Witwerrenten	0,55* (Im Sterbevierteljahr: 1,0)
Halbwaisenrenten	0,1
Vollwaisenrenten	0,2

*Unter einer der folgenden Voraussetzungen beträgt der Rentenfaktor 0,6:

♦ Ehepartner ist vor dem 1. Januar 2002 gestorben

♦ Ehe wurde vor dem 1. Januar 2002 geschlossen

♦ Mindestens ein Ehepartner wurde vor dem 2. Januar 1962 geboren

Quelle: Rente: So wird sie berechnet[9] (Deutsche Gesetzliche Rentenversicherung)

Aktueller Rentenwert

Der aktuelle Rentenwert unterliegt analog zur wirtschaftlichen Lage Anpassungen. Es ist ein fest definierter Wert, der aktuell in Ostdeutschland bei 31,89 € und in Westdeutschland bei 33,05 €[10] liegt. Wird zum regulären Renteneintrittsalter in die Rente eingetreten und dabei die Rente wegen Alters festgesetzt, dann muss der aktuelle Rentenwert lediglich mit den Rentenpunkten multipliziert werden, die sich über die Arbeitsjahre angesammelt haben, um die künftige Rente zu ermitteln.

---

[9] Vgl. https://www.deutsche-rentenversicherung.de/SharedDocs/Downloads/DE/Broschueren/national/rente_so_wird_sie_berechnet_alte_bundeslaender.pdf?__blob=publicationFile&v=6

[10] Vgl. https://www.deutsche-rentenversicherung.de/DRV/DE/Rente/Allgemeine-Informationen/Wie-wird-meine-Rente-berechnet/wie-wird-meine-rente-berechnet_node.html

Beispielrechnung:

Es wird ausgegangen von einer Person in Ostdeutschland, die 43 Jahre gearbeitet und mit einem Jahresbrutto von 30.000 € pro Jahr 0,7 Rentenpunkte gesammelt hat. Der Renteneintritt erfolgt mit 67 Jahre aus Altersgründen.

1. Rentenpunkte insgesamt = Rentenpunkte pro Jahr x Arbeitsjahre insgesamt = 0,7 x 43 = 30,1

2. Rente = Entgeltpunkte x Zugangsfaktor x Rentenfaktor x Aktueller Rentenwert = 30,1 x 1,0 x 1,0 x 31,89 € = 959,89 €

Was bleibt nach Abgaben übrig?

Bereits bis hierhin dürfte sich gezeigt haben, dass die Rente, die bei einer Person mit einem Bruttoverdienst von 30.000 € pro Jahr anfällt, äußerst gering ist. Gehen wir von den steigenden Mieten aus und beziehen zusätzlich die Lebenshaltungskosten mit ein, stellt sich die Frage, wie eine Person mit dieser Rente überhaupt überleben soll. Und diese Zustände herrschen bereits jetzt vor.

Doch der Trugschluss, dass der Rentner bzw. die Rentnerin sich mit dem dürftigen Betrag von 959,89 € zurückziehen könne, besteht darin, dass sogar noch Sozialabgaben auf die Rente erfolgen müssen. War die jeweilige Person in der zweiten Hälfte des Berufslebens über 90 % der Zeit gesetzlich krankenversichert, so wird sie Teil der Krankenversicherung der Rentner (KVdR)[11]. In diesem Fall muss der Rentner nur 7,3 % seiner Rente in die Gesetzliche Krankenversicherung einzahlen, andernfalls ist es der volle Satz von 14,6 %. Hinzu kommen Zusatzbeitrag und Pflegeversicherungskosten.

Seit 2005 gilt zudem das Alterseinkünftegesetz[12], welches vorsieht, dass ein festgelegter Anteil der Rente zu besteuern ist. Wurden also sämtliche abzugsfähigen Kosten (z. B. Sozialabgaben, Versicherungen) steuerlich geltend gemacht, so verbleibt ein Restbe-

---

[11] Vgl. https://www.krankenkassen.de/gesetzliche-krankenkassen/krankenkasse-beitrag/rentner/

[12] Vgl. https://www.lohnsteuer-kompakt.de/fag/2019/442/wie_wird_die_gesetzliche_rente_besteuert

trag. Liegt dieser Restbetrag oberhalb des Grundfreibetrags, der für 2019 bei 9.168 € liegt[13], so ist ein fest definierter Anteil der Rente zu besteuern. Ab 2040 werden auf die komplette steuerpflichtige Summe Steuern zu entrichten sein.

Würde man das Szenario aus der Beispielrechnung mit einer Rente von 959,89 € weiter durchrechnen, würden unter Umständen sogar Steuern auf die bereits um Sozialabgaben reduzierte Rente anfallen. Somit würde die Person, die metaphorisch schon bis aufs letzte Hemd ausgezogen wurde, zwischen Miete und Lebensmittelkosten sogar noch das Kleingeld für die Steuerlast zurücklegen müssen. Exakt das ist die Altersarmut, die thematisiert wird und medial Aufmerksamkeit erregt.

Dringlichkeit

Da die demografische Entwicklung und fundierte Prognosen auf einen Notstand aufmerksam machen, der das Potenzial hat, die Existenz der Gesetzlichen Rentenversicherung auf den Prüfstand zu stellen, werden Möglichkeiten gesucht, um einen Fortbestand der Gesetzlichen Rentenversicherung sowie die Finanzierbarkeit der künftigen Rentner sicherzustellen. Dabei gab und gibt es die folgenden Ansätze seitens der Regierung:

- ◆ Pflichtversicherung der Selbstständigen: Aktuell habe einige Gruppen von Selbstständigen noch die Wahl, ob sie in die Rentenkasse einzahlen. In diesem Lösungsansatz wären alle Selbstständigen pflichtversichert.

- ◆ Erhöhung des Renteneintrittsalters: Nach der Steigerung auf 67 Jahre sind nun 69 oder gar 71 Jahre vereinzelt in Überlegung.

- ◆ Zuzug junger Arbeitskräfte: Durch die Aufnahme junger Arbeitskräfte aus dem Ausland soll der Anteil der Einzahler in die Gesetzliche Rentenversicherung erhöht werden. So werden die nachfolgenden Generationen von Arbeitnehmern bei der Finanzierung der Rentner entlastet.

---

[13] Vgl. https://www.vlh.de/krankheit-vorsorge/altersbezuege/wann-muss-ich-als-rentner-steuern-zahlen-und-wie-viel.html

Ob es ein Selbstständiger mit einem hohen Einkommen und einer durch seine Unternehmensanteile gesicherten Altersvorsorge hinnehmen würde, plötzlich 18,7 % seines Einkommens in die Gesetzliche Rentenversicherung zu investieren, sei dahingestellt. Ebenso sei dahingestellt, ob eine Frau, die seit 40 Jahren in der Altenpflege Personen mit hohem Gewicht umlagert und bereits Knochenprobleme hat, dieser Arbeit auch mit über 70 Jahren noch nachgehen könnte. Dass der Zuzug junger qualifizierter Arbeitskräfte bereits das Problem gemindert hat, lässt sich ebenso wenig beobachten. Nur eines scheint gewiss: Die einzige Personengruppe, die künftig nicht in die Rentenversicherung einzahlen müssen wird, sind die Rentner selbst.

Doch all diese Lösungsvorschläge verbergen den Blick auf ein wichtiges Problem: Unabhängig davon, ob die Finanzierbarkeit der Gesetzlichen Rentenversicherung aufrecht erhalten bleibt, wird eine Vielzahl an Menschen aufgrund des Berechnungsverfahrens an Altersarmut leiden. Der Grund dafür liegt im Medianeinkommen.

Hinweis

Das Medianeinkommen ist exakt der Punkt, an dem sich zwei Hälften trennen: Die Hälfte, die am besten verdient, und jene Hälfte, die am wenigsten verdient. Es ist das Jahreseinkommen, an welchem die Grenze zwischen den ärmsten und reichsten 50 Prozent in Deutschland liegt.

Das Medianeinkommen hat einen anderen Wert als das für die Berechnung der Rente herangezogene durchschnittliche Bruttojahreseinkommen in Deutschland: Aus 45.560 € beim Durchschnittseinkommen im Jahr 2017 werden plötzlich um die 20.000 € im Jahr beim Medianeinkommen. Dies sind 10.000 € weniger als in dem durchgerechneten Beispiel zur Rente in den vorigen Abschnitten, welches bereits ein ernüchternd geringes Ergebnis zur Folge hatte.

Somit spielt es keine Rolle, ob die Gesetzliche Rentenversicherung aufrechterhalten wird und jeder Rentner in den folgenden Jahrzehnten noch finanziert werden kann. Auch ein zusätzlicher Altersvorsorgevertrag würde an dieser Stelle nicht ausreichend dazu beitragen, sich die künftige Lebenshaltung finanziell zu sichern. Der Erhalt der Lebensqualität funktioniert in den Regelfällen nur, wenn man wohlhabend ist oder das eigene Kapital in Immobilien anlegt. Deswegen ist es wichtig, sich nicht auf die Gesetzliche Rentenversicherung allein zu verlassen, sondern mit der Kapitalanlage in Immobilien sichere Lösungen zu erarbeiten.

Die Renditeaussichten für Immobilien

Für jene Personen, die nicht nach einer Optimierung der Rente streben, sondern sich eine Vermögenssteigerung erhoffen, sind die Renditeaussichten das schlagkräftigste Argument für eine Kapitalanlage in Immobilien. Diese werden an dieser Stelle anhand realer Beispiele abgebildet. Im Verlaufe des Buches wird noch eine genauere Auseinandersetzung mit dem Thema erfolgen, welche Aspekte Einfluss auf die Renditeaussichten nehmen und wie die Wahl der Immobilie zu erfolgen hat.

Im Vergleich der Mietspiegel in Deutschland erfolgt zunächst die Betrachtung des Mietspiegels für Berlin. Als eine der Großstädte mit den höchsten Mietpreisen macht Berlin in den Medien, der Politik und der Bevölkerung auf sich aufmerksam. Berlin verzeichnet eine durchschnittliche Steigerung der Mietpreise um 2,8 % pro Jahr seit der Jahrtausendwende. Dabei fällt auf, dass sogar in der Zeit der Weltwirtschaftskrise um 2007 herum die Mietpreise angestiegen sind. Bereits wenige Jahre später erfolgte mit einer vierprozentigen Steigerung sogar die zweithöchste Steigerung im untersuchten Zeitraum von 2000 bis 2019.[14]

---

[14] Vgl. https://www.morgenpost.de/berlin/article217337363/Mietspiegel-2019-Berlin-Miete-Wohnen-Vergleichsmiete-Mieterhoehung.html

Hinweis

Wer das Renditedreieck des DAX (Deutscher Aktienindex) kennt und leidenschaftlicher Befürworter der Kapitalanlage in Wertpapiere ist, wird die Meinung vertreten, dass der DAX im Schnitt ähnliche Renditen erzielt. Doch hierbei ist zu beachten, dass zusätzlich zu der Mietrendite der Immobilien die Immobilie selbst eine Wertsteigerung verzeichnet. Dies wiederum bedeutet, dass Anleger doppelt profitieren: Zum einen von der monatlich überwiesenen Miete, die ansteigt, und zum anderen durch die Wertsteigerung, die beim späteren Verkauf der Immobilie zu einem Gewinn führt. Darüber hinaus brach der DAX zu Zeiten der Weltwirtschaftskrise 2007 im Vergleich zum Vorjahr um ca. 40 % ein, während bei der Immobilie nur die Rendite kurzfristig sank. Dies unterstreicht die Sicherheit der Immobilie nochmals.

Nach einer ausführlichen Betrachtung der Situation in Berlin soll anhand einer kleineren Betrachtung der Trend in drei weiteren Städten zusammengetragen werden: Hannover, München und Hamburg. Es wird dabei von einer 60-Quadratmeter-Wohnung ausgegangen. Der Preis wird in € pro m² angegeben.

Stadt	Hannover	München	Hamburg
2011	6,01	11,95	8,69
2012	6,25	12,27	9,17
2013	6,59	13,06	9,61
2014	6,85	14,49	10,24
2015	7,54	14,84	10,59
2016	8,26	17,92	11,56
2017	8,17	18,71	11,27
2018	8,69	18,11	11,94

Quellen: wohnungsboerse.net[15], wohnungsboerse.net[16], wohnungsboerse.net[17]

---

15 Vgl. https://www.wohnungsboerse.net/mietspiegel-Hannover/4567
16 Vgl. https://www.wohnungsboerse.net/mietspiegel-Muenchen/2091
17 Vgl. https://www.wohnungsboerse.net/mietspiegel-Hamburg/3195

Die Tendenz zeigt nach oben. Wieso wurden diese drei Städte als Beispiele genommen? Weil sie sich allesamt in anderen Dimensionen von Mietpreisen befinden, aber bis auf jeweils ein Jahr Ausnahme einen kontinuierlichen Anstieg verzeichnen. Für Investoren und Kapitalanleger sind diese Städte mittlerweile weniger interessant, da sich in anderen Städten geringere Immobilienpreise abzeichnen und die Mieten erst am Anfang des Anstiegs stehen. In diesen Städten fällt auch die Rendite höher aus als in den Städten, die bereits hohe Preise verzeichnen. Nähere Informationen diesbezüglich vermittelt mein Buch „Immobilien kaufen, vermieten und Geld verdienen"

Die Kaufpreise im Vergleich

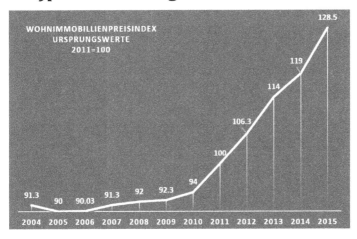

Quelle: hausgold.de[18]

Die Grafik veranschaulicht den Anstieg der Immobilienpreise anhand eines Indizes. Dies ist die neben der Mietrendite zweite wichtigste Komponente von Immobilien: Die Wertsteigerung der Immobilie selbst. Der Wohnimmobilienpreisindex der Deutschen Bundesbank bildet die Wertsteigerung von Immobilien für ganz Deutschland ab, wobei jedoch allem voran die Großstädte mit hohen Wertsteigerungen auf sich aufmerksam machen:

- ♦ Berlin
- ♦ Hamburg

---

[18] Vgl. https://www.hausgold.de/immobilienpreise/immobilienpreisentwicklung/

- ◆ Köln
- ◆ Stuttgart
- ◆ Frankfurt am Main
- ◆ München
- ◆ Düsseldorf

Ein genauerer Blick auf den Wertzuwachs in dreien der Städte – Berlin, München und Stuttgart – offenbart konkrete Zahlen.

Berlin

Art der Immobilie	Rendite im Zeitraum 2011-2018
30 qm Wohnung	2.903,79 €
60 qm Wohnung	2.587,05 €
100 qm Wohnung	2.594,19 €
100 qm Haus	1.781,45 €
150 qm Haus	1.313,78 €
200 qm Haus	1.399,71 €

Quelle: wohnungsboerse.net[19]

München

Art der Immobilie	Rendite im Zeitraum 2011-2018
30 qm Wohnung	4.605,00 €
60 qm Wohnung	4.050,75 €
100 qm Wohnung	3.603,98 €
100 qm Haus	4.051,96 €
150 qm Haus	3.093,00 €
200 qm Haus	3.586,87 €

Quelle: wohnungsboerse.net[20]

---

[19] Vgl. https://www.wohnungsboerse.net/Immobilienpreise/immobilien-Berlin-2825.pdf

[20] Vgl. https://www.wohnungsboerse.net/Immobilienpreise/immobilien-Muenchen-2091.pdf

Stuttgart

Art der Immobilie	Rendite im Zeitraum 2011-2018
30 qm Wohnung	2.954,76 €
60 qm Wohnung	2.287,58 €
100 qm Wohnung	2.707,10 €
100 qm Haus	1.968,71 €
150 qm Haus	2.147,83 €
200 qm Haus	1.558,63 €

Quelle: wohnungsboerse.net[21]

Der Bezug der Statistiken zueinander – Beispiel für eine zu erwartende Rendite

Um die Gesamtrendite der Immobilien in ihrer Rolle als Kapitalanlage nachzuvollziehen, wird an dieser Stelle in die Berechnung der Renditen von Immobilien eingeführt. Es handelt sich lediglich um ein rudimentäres Beispiel. Mein Buch „Immobilien kaufen, vermieten und Geld verdienen" befasst sich genauer mit diesen Rechnungen.

Zunächst sei die Mietrendite mit der Rechnung erläutert:

Jahreskaltmiete: Gesamtkosten des Kaufs = Mietrendite

Gehen wir von einer Wohnung aus, die in München liegt und 60 qm² aufweist. Hier setzen wir als Mietpreis pro Quadratmeter den heutigen Durchschnitt von 19,96 € pro m² an. In diesem Fall erhalten wir als Jahreskaltmiete 14.371,20 €. Auf Basis des durchschnittlichen Kaufpreises wird mit 520.000 € für eine solche Wohnung gerechnet, wobei die Nebenkosten des Kaufs zunächst nicht einkalkuliert werden:

$$14.371,20 \text{ €}: 520.000 \text{ €} = 0,03$$

---

[21] Vgl. https://www.wohnungsboerse.net/Immobilienpreise/immobilien-Stuttgart-972.pdf

Dies entspricht zunächst einer Rendite von 3 % zum Kaufpreis, die jährlich hinzukommt. Gehen wir nun von einer Wertsteigerung der Immobilie von 20 % in einem Zeitraum von zehn Jahren aus, hat die Immobilie einen Wert von 624.000 €. Bereits ohne Mietsteigerungen werden über den Zeitraum 143.712 € an Mieterträgen eingenommen. In Kombination mit der Wertsteigerung um 104.000 € ergibt sich somit ein Gewinn von 247.712 €. Dies entspricht insgesamt einer Rendite von ca. 47,6 % in einem Zehn-Jahres-Zeitraum.

Nun ist dieses Beispiel ehrlicherweise äußerst unvollständig. Zum einen wird eine Immobilie gewählt, die bereits im Stadtkern liegt und einen derart hohen Wert hat, dass eine Steigerung um 20 % unrealistisch wäre. Zum anderen wurden folgende Faktoren nicht berücksichtigt:

◆ Kaufnebenkosten

◆ Evtl. Finanzierung der Immobilie samt Zinsgebühren

◆ Kosten für Verwaltung

◆ Evtl. Mietausfälle

◆ Instandhaltungskosten

Eine Berücksichtigung dieser Aspekte hätte an dieser Stelle jedoch das Thema ausschweifen lassen, wozu noch wichtige Grundkenntnisse fehlen. Diese werden in meinem Buch „Immobilien kaufen, vermieten und Geld verdienen" vermittelt, sodass Sie in der Lage sein werden, eine solche Rechnung komplett korrekt durchzuführen. Allerdings rütteln diese Faktoren nicht derart stark an der Rendite, dass die Immobilie zu einem nicht lukrativen Investment werden würde. Alles in allem erweist sich die Kapitalanlage in Immobilien im Hinblick auf die Rendite als eines der stärksten existierenden Investments.

Zusammenfassung: Lösungen, Sicherheit und starke Renditeaussichten

Immobilien haben eine vielfache Bedeutung: Vom Statussymbol über die Vergrößerung des Vermögens bis hin zur Lösung für das Problem der maroden Altersvorsorge und Prävention von Altersarmut. Somit werden Immobilien nicht nur für wohlhabende Investoren und Kapitalanleger, sondern sogar für die Mittelschicht interessant. Die Mittelschicht profitiert dahingehend, dass sie die Immobilie durch eine Kreditaufnahme finanzieren kann. In jungem Alter begonnen, lässt sich ein regelrechter Sparplan aufstellen, mit Hilfe dessen die Anhäufung eines signifikanten Vermögens aus Immobilien ermöglicht wird. So wird nicht nur den im Durchschnitt schlechten Rentenaussichten entgegengewirkt, sondern ebenso Raum geschaffen, um passiv Geld zu verdienen und den Schritt in den Wohlstand zu schaffen. Gelingt ein solcher Schritt nicht, dann wird durch eine einzige Immobilie immerhin der finanzielle Mangel aufgrund der geringen Renten im Alter deutlich gemindert. Auch dies ist ein Zugewinn. Investoren sowie wohlhabende Personen wiederum profitieren davon, dass wesentlich mehr Spielräume im Ankauf und in den Arten der Kapitalanlage gegeben sind. Zu den verschiedenen Anlagestrategien informiert das Folgekapitel ausführlich. Letzten Endes punktet die Immobilie in allen Anlegergruppen – ob Klein- oder Großanleger – durch die Sicherheit des Investments: Der Sachwert ist inflationsgeschützt, die Nachfrage hoch und zudem ist die Immobilie zu Eigenzwecken nutzbar. Bei alledem sprechen die Entwicklungen der Miet- und Kaufpreise für ein Anhalten des positiven Trends. Aus all diesen Gründen ist die Kapitalanlage in Immobilien so vorteilhaft.

Finanzierungsmöglichkeiten und Anlagestrategien

Dieses Kapitel vermittelt Grundlagen zur Planung der Kapitalanlage in Immobilien. Dies beinhaltet zunächst einen Überblick über die Finanzierungsmöglichkeiten, unter die ein Kauf mit Eigenkapital sowie die Finanzierung fallen. Die Finanzierung ist auf eigene Initiative hin durch die Anfrage bei einer Bank möglich. Darüber hinaus existieren spezialisierte Unternehmen, die durch ausgefeilte Konzepte einen Kauf ohne Eigenkapital und mit besonderen Leistungen in Aussicht stellen. Neben der Finanzierung ist über die Strategie der Kapitalanlage nachzudenken. Grundsätzlich versteht sich die Kapitalanlage als ein passives Prinzip, bei dem der eigene Aufwand gering ist. Ebenso gibt es vielversprechende Anlagestrategien mit einem Eigenaufwand, die umso ertragreicher sind.

Eigenkapital, Kredite und Konzepte zum Immobilienerwerb

Ein Immobilienkauf ist über das Eigenkapital ebenso möglich wie durch Finanzierungen und besondere Finanzierungskonzepte. In jedem dieser Kaufverhalten sind die Nebenkosten des Kaufs zu berücksichtigen, wozu die folgenden Posten gehören:

- Notar & Grundbucheintragung
- Grunderwerbssteuer
- Maklerprovision

Darüber hinaus sind Immobiliengutachten und Modernisierungskosten zwei eventuelle Posten.

Die Kosten des Notars sind variabel, jedoch in einer Gebührenverordnung transparent festgelegt. Sie belaufen sich neben der Beurkundung des Vertrags auf weitere Leistungen, wozu unter anderem Löschungen der Grundschulden des Verkäufers, Eintragungen von Wege- und Wohnrechten sowie eine Eintragung der Auflassungsvormerkung in das Grundbuch[22] gehören. Es ist von knapp 1,5 % des Kaufpreises an Gebühren für den Notar und die Eintragung ins Grundbuch auszugehen.

Die Grunderwerbssteuer ist von Bundesland zu Bundesland verschieden. Seit dem 01. September 2006 ist es nämlich jedem Bundesland erlaubt, die Höhe der Grunderwerbssteuer selbst festzulegen. Der Hintergrundgedanke dieses Gesetzes (Art. 105, 2a, GG[23]) war die Schaffung der Möglichkeit für finanzschwache Bundesländer, die Einnahmen zu erhöhen. Sämtliche Bundesländer – mit Ausnahme von Sachsen und Bayern – haben von dem neu erlassenen Gesetz Gebrauch gemacht, jüngst Mecklenburg-Vorpommern durch eine Erhöhung ab dem ersten Juli 2019 von 5 auf 6 %. Die folgende Tabelle bildet die neuen Steuersätze und die Höhe der Steuern anhand des beispielhaften Kaufpreises von 200.000 Euro ab:

Bundesland	Steuersatz	Steuerbelastung (200.000 € Kaufpreis)
Baden-Württemberg	5 %	10.000 €
Bayern	3,5 %	7.000 €
Berlin	6 %	12.000 €
Brandenburg	6,5 %	13.000 €
Bremen	5 %	10.000 €
Hamburg	4,5 %	9.000 €

---

[22] Vgl. https://www.immoverkauf24.de/immobilienverkauf/immobilienverkauf-a-z/notarkosten-und-grundbuchkosten/

[23] Vgl. https://www.gesetze-im-internet.de/gg/art_105.html

Hessen	6 %	12.000 €
Mecklenburg-Vorpommern	6 %	10.000 €
Niedersachsen	5 %	10.000 €
Nordrhein-Westfalen	6,5 %	13.000 €
Rheinland-Pfalz	5 %	10.000 €
Saarland	6,5 %	13.000 €
Sachsen	3,5 %	7.000 €
Sachsen-Anhalt	5 %	10.000 €
Schleswig-Holstein	6,5 %	13.000 €
Thüringen	6,5 %	13.000 €

Quelle: immoverkauf24.de[24]

Neben der Grunderwerbssteuer fällt die Maklerprovision als letztes reguläres Glied der Kaufnebenkosten an. Diese variiert und wird in Einzelfällen von Verkäufer und Käufer gemeinsam getragen. Die in Deutschland für den Käufer möglichen Gebühren liegen zwischen 3,57 und 7,14 %[25]. Dabei stellt Niedersachsen eine Besonderheit dar, da hier sogar für die einzelnen Regionen verschiedene Provisionssätze vereinbart sind. Ist der Verkäufer ohne Makler tätig, so fallen für den Käufer keine Provisionszahlungen an.

---

[24] Vgl. https://www.immoverkauf24.de/immobilienverkauf/immobilien-verkauf-a-z/grunderwerbsteuer/

[25] Vgl. https://www.immoverkauf24.de/immobilienmakler/maklerprovision/#hausverkauf-check-3

Hinweis

Das Immobiliengutachten und die Modernisierungskosten sind nicht pauschal festzusetzen. Für das Immobiliengutachten lässt sich grundsätzlich zwischen 500 und 1.000 € angeben, was jedoch mit der Größe und dem Verkehrswert des Gebäudes ansteigen kann. Bei Finanzierungen über die Bank ist ein Immobiliengutachten nicht erforderlich, da die Bank dieses zur Sicherheit von sich aus durchführen lässt. Sollte der Käufer die Immobilie nämlich nicht abbezahlen können, so wird die Bank das Objekt übernehmen. Dabei ist das Ziel ein Verkauf ohne Verlust oder sogar mit einem Gewinn. Die Modernisierungskosten können bei einigen Tausend oder auch bei mehreren Tausend Euro liegen. Sind Modernisierung, Sanierung oder Renovierung in hohem Umfang erforderlich, sinkt dadurch jedoch der Kaufpreis einer Immobilie, was Käufern entgegenkommt.

Mit Eigenkapital kaufen: Sind genug Rücklagen vorhanden?

All diese Kosten gilt es für einen Immobilienkauf mit einzubeziehen. Insbesondere der Kauf komplett mit Eigenkapital ist ein gut zu kalkulierendes Unterfangen. Es genügt aber nicht, wie die Übersicht über die Nebenkosten gezeigt hat, allein den Kaufpreis der Immobilie an finanziellen Mitteln verfügbar zu haben. Stattdessen gilt es, folgende Fragen zu stellen:

- ◆ Habe ich ausreichend Eigenkapital für das Haus, sämtliche Nebenkosten, die Verwaltung und Versicherung?

- ◆ Bleibt ausreichend Eigenkapital übrig, um eventuell nach dem Kauf auftretende unvorhersehbare Schäden zu finanzieren?

- ◆ Sind ausreichend Rücklagen gegeben, sodass ich nach der Investition privat und beruflich nicht in Engpässe gerate?

- ◆ Für Selbstständige: Habe ich bereits die auf mich zukommende Steuerlast für das nächste Jahr berücksichtigt?

Sofern diese Fragen mit einem „Ja" beantwortet werden können, ist der Kauf einer Immobilie mit Eigenkapital eine Option. Allerdings gehen sogar Investoren und Unternehmer des Öfteren den Weg über die Finanzierung mit Banken. Hier erfolgt eine Anzahlung mit Eigenkapital, die die Zinsgebühren senkt. Der Restbetrag wird finanziert, da dieser Weg mit weniger Risiken behaftet ist. Außerdem wird das Geld so an anderer Stelle verfügbar oder es wird eine höhere Menge an gleichzeitig erworbenen Immobilien möglich, als sie bei einem Kauf ohne Finanzierung machbar wäre. Dementsprechend lohnt ein Blick auf die Finanzierungsmöglichkeiten durch Kredite und spezielle Konzepte.

Kreditaufnahme zur Immobilienfinanzierung

Eine Immobilienfinanzierung mittels Kredit hat Vorteile. Zum einen bietet die Immobilienfinanzierung den Vorzug der höheren Sicherheit. Sollte es zu Schäden an der Immobilie kommen, hat der Käufer mehr Eigenkapital zur Behebung der Schäden. Zum anderen sind durch die Immobilienfinanzierung mehrere Immobilien zur gleichen Zeit möglich, sofern Eigenkapital oder bereits vorhandene Immobilien als Sicherheit existieren. Die Mieter in den Immobilien sorgen dafür, dass der Kredit zum großen Anteil durch die Miete finanziert wird und Anleger auf diesem Wege nur einen geringen Eigenanteil haben. Nach einigen Jahren und einer Modernisierung ist die Miete höher und die Mieterträge finanzieren nicht nur den Kredit, sondern erwirtschaften gar einen Überschuss.

Nichtsdestotrotz existieren Auflagen seitens der Bank, um den Kauf einer Immobilie zur Realität werden zu lassen. Diese nehmen die finanzielle Lage des Antragstellers genau unter die Lupe, um sich gegen das eigene Risiko abzusichern:

- ◆ Letzte drei Gehaltsabrechnungen
- ◆ Mietvertrag/Mietfreibestätigung
- ◆ Kontoauszüge der letzten drei Monate
- ◆ Schufa-Abfrage
- ◆ Vermögensnachweise
- ◆ Aktuelle Renteninformation

- ◆ Kreditverträge
- ◆ Versicherungsdokumente

Es kommt also einiges an Papierkram auf Personen zu, die eine Immobilie finanzieren möchten. Letzten Endes sind es jedoch Dokumente, die ohnehin jederzeit in den eigenen vier Wänden liegen sollten. Diese werden bei der Bank zum gewünschten Termin abgegeben. Doch wieso sind diese Dokumente wichtig?

Mit den letzten drei Gehaltsabrechnungen verschafft sich die Bank einen Eindruck davon, was der Antragsteller verdient. Die Einkünfte – unter Berücksichtigung der Ausgaben – bilden dabei die Basis, auf der darüber befunden wird, ob eine Finanzierung risikofrei möglich ist.

Der Mietvertrag ist die in der Regel am meisten belastende persönliche Ausgabe. Diese wird von dem eigenen Einkommen subtrahiert, um sich dem verfügbaren Budget für die Finanzierung der Immobilie zu nähern. Sollte keine Miete gezahlt werden, weil der Antragsteller bei einer Person unentgeltlich wohnen darf, dann ist die Mietfreibestätigung ein erforderliches Dokument. Die Mietfreibestätigung wird von der beherbergenden Person ausgestellt und unterschrieben.

Die Kontoauszüge der letzten drei Monate verschaffen einen Überblick über das Zahlverhalten des Antragstellers und bestimmte Fixkosten, über die die Dokumente keinerlei Auskünfte geben. Dazu gehören beispielsweise Verträge fürs Fitnessstudio, Abonnements und anderweitige – meistens private – Faktoren. Vereinzelt kann es sogar sein, dass Abonnements einen derartigen Anteil des Restbudgets verbrauchen, dass die Immobilienfinanzierung daran scheitert.

Es erfolgt zudem eine Schufa-Abfrage, sofern der Antragsteller einwilligt. Diese klärt über Schulden des Antragstellers auf. Zudem gibt es in der Schufa Negativ-Einträge, sofern mehr als ein Girokonto genutzt wird. Auf Wunsch darf der Antragsteller die

Schufa-Abfrage durch die Bank nicht gestatten. Daran scheitert eine Finanzierung durch die Bank nicht, allerdings erhöht sie die Kosten der Finanzierung.

Vermögensnachweise geben der Bank Sicherheit. Hierbei handelt es sich um Vermögen aus Sparbüchern, Altersvorsorgeverträgen, Tagesgeldkonten, Wertpapieren und ähnlichen Produkten, die sich durch Verkauf in liquide Geldmittel umwandeln lassen. Besonders wirksam ist der Nachweis über einen Immobilienbesitz, sofern man über diesen verfügt. Denn hier greift das Prinzip der Immobiliensicherung: Die Richtlinien für eine Finanzierung lockern sich, da die Bank die Immobilie als Absicherung der Finanzierung heranzieht.

Die aktuelle Renteninformation erhält man in Deutschland erst ab dem 27. Lebensjahr. Diese gibt Auskunft über den Anspruch der Rente und ist für die Bank ein Messinstrument zur Ermittlung der Finanzierbarkeit der Immobilie im Alter. Da Finanzierungen üblicherweise auf eine Dauer von mehreren Jahrzehnten festgelegt werden, ist das künftige Renteneinkommen ein wichtiger Faktor.

Bereits bestehende Kredite sind Kostenfaktoren, die zur Ermittlung der laufenden Kosten des Antragstellers unerlässlich sind. Hier gilt es darauf zu achten, dass nicht mitten im Ablauf der Finanzierung Kredite aufgenommen werden. Beispiel: Ein Kunde bekam von der Bank die Finanzierung zugesagt und beauftragte sogar den Notar. Nun kaufte er im selben Zeitraum ein Auto auf Kredit – noch bevor das Angebot durch die Bank unterzeichnet war! Dieses wurde von der Bank zurückgezogen und so bekam der Kunde seine Finanzierung nicht. Er blieb ohne Immobilie auf den Notarkosten sitzen, die bei einigen Tausend Euro lagen.

Die Versicherungsdokumente machen auf der Seite der Kosten nach der Miete in der Regel den zweitgrößten Anteil aus. Hierzu zählt allem voran die Krankenversicherung. Die Kosten hierfür werden vom Lohn abgezogen und sind in der Gehaltsabrechnung aufgeführt. Nur bei privat Versicherten und bei Selbstständigen müssen separate Dokumente für die Krankenversicherung eingereicht werden. Ebenso fallen Kfz-Versicherungen, Haftpflichtversicherungen, Rechtsschutzversicherungen und weitere in dieses Segment.

Hinweis

Selbstständige bilden einen Sonderfall bei der Finanzierung von Immobilien. Bei Selbstständigen wird das Risiko von den Banken pauschal hoch eingeschätzt. Hier ist reichlich Eigenkapital unumgänglich, wobei gilt: Je mehr, desto besser. Zudem werden Steuererklärungen der letzten drei Jahre verlangt, in denen hohe Gewinne ausgewiesen sind. Die Krux daran: Kaum ein Existenzgründer rechnet sich in den ersten Jahren finanziell stark, sondern mindert das Einkommen durch Investitionen ins Wachstum lieber, um eine geringe Steuerlast zu haben. Somit sind Finanzierungen bei Selbstständigen schwer realisierbar. Ausnahme bildet erneut die Immobiliensicherung, bei der bereits vorhandener Immobilienbesitz des Selbstständigen der Bank die nötige Sicherheit verleiht.

Allerdings möchten die Banken ebenso von Angestellten eine gewisse Menge Eigenkapital sehen – und zwar genug, um die Kaufnebenkosten zu decken. Sollte dieses vorhanden sein, ein unbefristetes Arbeitsverhältnis bestehen und das monatliche Einkommen bei mindestens 1.800 bis 2.000 € netto liegen, ist eine Finanzierung durch die Bank realistisch.

Konzepte zum Immobilienerwerb

Vor einigen Jahrzehnten war in Deutschland nur die Finanzierung einer Immobilie zur Eigennutzung in der Vorstellung der breiten Massen präsent. Nur Investoren und Unternehmer oder andere Personen, die Immobilien besaßen oder direkt kaufen konnten, vermieteten diese. Doch um die 90er Jahre herum fanden vermehrt Konzepte in Deutschland Einzug, die die Finanzierung von Immobilien zur Vermietung attraktiv machten. Die Finanzierung einer

Immobilie zur eigenen Nutzung steht in einigen Situationen nämlich nicht zur Debatte. Dies ist allem voran dann der Fall, wenn die Lage nicht passt oder die eigenen Vorstellungen sich nicht abdecken lassen. Gehen wir beispielsweise davon aus, dass die eigenen finanziellen Mittel nicht zur Finanzierung eines großen Hauses für die ganze Familie ausreichen, aber dafür für eine kleine Wohnung: In diesem Fall wird das Haus weiterhin gemietet und stattdessen eine Wohnung finanziert, um den Kredit durch Vermietung zu finanzieren. Dies hat den Vorteil, dass zumindest über eine Immobilie fürs Alter vorgesorgt wird oder aber die Immobilie als Grundlage für die Finanzierung eines Hauses dient.

Wie auch immer es ausgelegt wird, ist das Konzept der Finanzierung einer Immobilie zur Vermietung eines, welches seltener von Personen selbst gewählt, stattdessen aber häufig von spezialisierten Unternehmen angeboten wird. Diese bringen nicht nur dieses Konzept, sondern eine Reihe weiterer Vorteile mit sich. Das Angebot variiert von Unternehmen zu Unternehmen, doch lassen sich folgende Besonderheiten der Angebote feststellen:

- ◆ Strukturvertriebe
- ◆ Absicherung gegen Mietausfall
- ◆ Finanzierung ohne Eigenkapital

Strukturvertriebe

Der erste Aspekt wird vereinzelt kritisch gesehen und sorgt für eine verzerrte Wahrnehmung von Immobilienvertrieben. Hier sind Anbieter nämlich nach dem Schema aufgebaut, dass sie eine Hierarchie haben, in der Kunden durch das Werben von Neukunden selbst dazuverdienen können. In der Öffentlichkeit ist in diesem Fall vereinzelt von Schneeballsystemen die Rede; will meinen: Das System lebt nur davon, dass neue Kunden an Land gezogen werden und das Produkt in Wirklichkeit nicht existiert. Jedoch ist dies im Bereich der Immobilien auszuschließen.

Bewertung

Da der Immobilienkauf über einen Notar erfolgt, eine Grundbuch-eintragung stattfindet und Steuern entrichtet werden, ist es unmög-lich, dass das jeweilige Produkt nicht existiert. Somit sind Immobi-lienvertriebe in dieser Hinsicht sicher. Vielmehr bieten sie Personen, die sich eine Immobilie finanzieren lassen, durch die Akquise von Neukunden sogar die Gelegenheit, Geld dazuzuverdienen.

Absicherung gegen Mietausfall

Eine Absicherung gegen den Mietausfall reicht wesentlich weiter als die hierzulande bekannte Mietausfallversicherung. Die Mietausfallver-sicherung zahlt nämlich nicht die Miete weiter, während kein Vermie-ter gefunden wird, sondern zahlt nur bei nicht gezahlten Mieten sowie Mietnebenkosten. Vereinzelt bieten die Strukturvertriebe deswegen Sonderleistungen, wozu die Aufnahme in einen eigenen Miet-Pool ge-hören kann. Dieser optionale Miet-Pool sieht zwar monatlich geringe Beiträge vor, hat jedoch den entscheidenden Vorzug, dass allen Mit-gliedern des Pools durch die eingezahlten Beiträge zugesichert ist, die Mieteinnahmen fortlaufend gezahlt zu bekommen.

Bewertung

Strukturvertriebe bieten durch die Aufnahme in ihre Konzepte die Chance dazu, sich gegen Mietausfälle zu versichern. Dies ist in die-sem Punkt weitaus effektiver als eine Mietausfallversicherung. Die Kosten werden durch die Teilnehmer getragen, die Beiträge in fest definierten Höhen einzahlen – also eine Versicherung, die durch die Gemeinschaft erfolgt.

Finanzierung ohne Eigenkapital

Die Bank verlangt bei Finanzierungen von Arbeitnehmern zwar nicht so viel Eigenkapital wie von Selbstständigen. Dennoch – so wurde festgestellt – muss es ausreichen, um die Kaufnebenkosten aus-zulegen. Das Problem ist, dass nicht jede Person über das benötigte Eigenkapital hierzu verfügt, da dieses durchaus im fünfstelligen Bereich liegen kann. An dieser Stelle greift ein Vorteil von Strukturvertrieben, da diese die Kaufnebenkosten „übernehmen". Übernehmen in Anführungszeichen, da der Vorgang folgendermaßen aussieht:

♦ Die Immobilie wird ausgesucht, ebenso die Finanzierung bei einer Bank.

♦ Nun würden die Nebenkosten für den Kauf anfallen. Für diese stellt die Bank keinen Kredit aus.

♦ Der Trick einiger Strukturvertriebe ist daher, dass sie die Kaufnebenkosten in den Immobilienpreis einberechnen.

♦ Wenn die Bank nun einen Kredit für die Immobilie vergibt, deckt dieser auch die Kaufnebenkosten ab.

♦ Der Strukturvertrieb überweist zuvor die Kaufnebenkosten an den Käufer, ohne dass die Bank davon wüsste.

♦ Diese werden dann an die erforderlichen Parteien überwiesen.

♦ Der Strukturvertrieb erhält mit der Überweisung der Kreditsumme, die die Bank zur Verfügung stellt, den eigentlichen Immobilienwert sowie zusätzlich die zuvor überwiesenen Kaufnebenkosten zurück.

♦ Der Käufer zahlt den Kredit bei der Bank ab und alles geht von nun an die gewohnten Wege.

Diese Vorgehensweise ermöglicht dank der Gewieftheit entsprechender Unternehmen die Finanzierung ohne Eigenkapital. Alle Parteien erhalten das, was sie brauchen, und dies obendrein zu den besten Konditionen.

Bewertung

In einzelnen Konzepten werden die Kaufnebenkosten „übernommen". Dies erfolgt unter Einbezug in den Wert der Immobilie, sodass die Banken die Kaufnebenkosten ohne Wissen mitfinanzieren. Sofern dies mit dem Eigentümer der Immobilie abgesprochen ist, ist dieses Konzept wasserdicht und ermöglicht eine Finanzierung ohne Eigenkapital.

Wo sind die Strukturvertriebe anzutreffen?

Im Grunde genommen haben sie in jeder Stadt ihre Niederlassungen. Viele Unternehmen nehmen das grundlegende Konzept – Immobilie finanzieren und direkt vermieten – und vermarkten es gezielt als Immobilien zur Kapitalanlage, Altersvorsorge oder zum Vermögensaufbau. Es lohnt sich, auf die Werbung einzugehen und sich telefonisch oder per E-Mail erste Informationen abzuholen. Zwar gibt es einige schwarze Schafe, doch wenn man eingeladen wird, sich das Konzept anhört und die Immobilie besichtigen kann und alles über den Notar abgewickelt wird, darf davon ausgegangen werden, dass alles seinen rechten Gang geht.

Anlagestrategien für Immobilien

Es existieren zahlreiche Anlagestrategien für Immobilien, worunter auch solche fallen, die äußerst fragwürdig erscheinen. Mit „fragwürdig" ist in diesem Kontext gemeint, dass rein auf eine Wertsteigerung spekuliert wird und benötigte Wohnräume genommen werden. Wiederum gibt es Anlagestrategien, bei denen Wohnungen oder Häuser in marodem Zustand aufgekauft und kernsaniert werden. Anschließend werden sie in verbessertem Zustand vermietet oder verkauft. Dies kann sogar zur Aufwertung ganzer Stadtteile führen, was unter dem Begriff *Gentrifizierung* geführt wird. Die folgende Übersicht stellt die verschiedenen Anlagestrategien vor und unterzieht diese einer Bewertung.

Wertsteigerungsstrategie: Kauf, Haltung und Wiederverkauf

Immobilien werden aufgekauft und für einige Jahre gehalten, um sie direkt wiederzuverkaufen – keine Vermietung, keine Instandhaltung, keine Modernisierungs- oder Renovierungsmaßnahmen. Es werden Immobilien in vielversprechenden Lagen gekauft, es wird auf eine Wertsteigerung spekuliert, die in der Regel in den Ballungsräumen von Großstädten und mittlerweile immer mehr Kleinstädten definitiv eintreten wird, und schließlich werden die Immobilien mit Gewinn verkauft. Eine solche Strategie funktioniert jedoch nur bei Immobilien in sehr guten Lagen, wo die Nachfrage hoch ist. Sie eignet sich für Personen, die Eigenkapital von mindestens einer Million Euro aufweisen. Nach wenigen Jahren erfolgt der Wiederverkauf mit einer Wertsteigerung im fünfstelligen Bereich – so zumindest die Annahme. Dass diese Wertsteigerung nicht immer aufgehen mag und nur auf die Big Cities zutrifft, macht diese Wertsteigerungsstrategie umso fragwürdiger. Der bittere Beigeschmack dieser Strategie ist, dass bedürftigen Personen dringend benötigter Wohnraum weggenommen wird und die Immobilie mehrere Jahre verwahrlost und ungenutzt in der Stadt steht. Hier stellt sich die Frage, ob Anleger dies mit ihrem Gewissen vereinbaren können.

Bewertung:

♦ Ausschließlich bei bereits hochpreisigen Immobilien in Lagen mit hoher Nachfrage nützlich

♦ Nur für Personen mit Eigenkapital ab knapp 500.000 €

♦ Nur sinnvoll, wenn keine Finanzierung nötig ist

♦ Eigentlich frei verfügbarer Wohnraum ist nicht beziehbar

Fixer-Upper-Strategie: Marodes Haus kaufen, sanieren und profitieren

Die Fernsehsendung *Fixer Upper* dürfte einigen Personen bekannt sein. Es handelt sich hierbei um eine Sendung, bei der Renovierungsprofis mit ihrem Team von Kameras dabei begleitet werden, wie sie Immobilien aufkaufen, die sich in einem maroden Zustand befinden. In der Sendung handelt es sich ausschließlich um Häuser, jedoch ist dasselbe Vorgehen auch bei Wohnungen möglich. Allerdings ist bei der Sanierung, Renovierung oder Modernisierung von Häusern der Wandel deutlicher zu sehen, da das gesamte Gebäude davon betroffen ist. Bei Wohnungen ist es nur ein Teil – es sei denn, man besitzt den ganzen Wohnblock. So oder so: Das Prinzip ist einleuchtend, da durch jedwede optische sowie funktionelle Aufwertung der Immobilie deren Wert steigt.

Diese Strategie setzt bei einer Durchführung im großen Rahmen allerdings eine Expertise voraus, die nur in der Branche erfahrene Personen einbringen können. Andernfalls müssen Architekten, Renovierungsprofis oder anderweitige Experten beauftragt werden, was die Kosten für die Maßnahme in die Höhe treibt, sodass der Wiederverkauf nach aufwertenden Maßnahmen kein lohnendes Unterfangen ist. Wird diese Strategie jedoch im kleinen Rahmen (z. B. neue Bodenbeläge, Fenster, neuer Anstrich) mit einzelnen Maßnahmen durchgeführt, so sind auch unerfahrene Investoren auf der Seite der Profiteure. Denn neben den höheren Mieterträgen und dem gestiegenen Kaufpreis profitieren die neuen Mieter oder Käufer von einem schöneren Zuhause. Sogar eine Aufwertung ganzer Stadtteile ist auf diesem Wege denkbar. Hier sorgen die Investoren bzw. Anleger mit ersten optischen Aufwertungen dafür, dass weitere Investoren nachziehen. Mehr dazu wird in den Folgekapiteln unter dem Punkt *Gentrifizierung* aufgeführt.

Ein weiterer Vorteil dieser Strategie ist darin gegeben, dass sie sowohl lang- als auch kurzfristig betrieben werden kann. Langfristig ist die Strategie, wenn Anleger die Immobilie vermieten, mittelfristig ist, wenn die Immobilie zehn Jahre vermietet und nach Ablauf der Spekulationsfrist steuerfrei verkauft wird, und kurzfristig ist die Anlagestrategie, wenn nach der Aufwertung der direkte Wiederverkauf der Immobilie erfolgt.

Bewertung:

♦ Beim Ankauf komplett maroder Gebäude nur für Profis mit Erfahrung geeignet

♦ Bei einzelnen Maßnahmen auch für Kleinanleger und Unerfahrene lukrativ

♦ Höhere Mieterträge

♦ Wertsteigerung der Immobilie

♦ Aufwertung der Umgebung/des Stadtteils mit Aussicht auf Zuzug weiterer Investoren

♦ Schöneres Zuhause für die Mieter bzw. Käufer

Immobiliensparplan: Mit Finanzierungen einen umfangreichen Immobilienbesitz aufbauen

Diese Strategie ist ein elementarer Schlüssel für Personen, die höhere Ambitionen haben, als ein oder zwei Immobilien im Leben zu kaufen. Sie lässt sich mit geringen monatlichen Eigenbeiträgen realisieren. Wesentlich präziser wird diese Strategie in meinem Buch „Immobilien kaufen, vermieten und Geld verdienen" erläutert. Hier wird die Strategie nur rudimentär durchgerechnet. Sie versteht sich als die sogenannte Immobilien-Rente und ist allem voran den Personen eine Hilfe, die als Arbeitnehmer und Kleinanleger starten und …

1. … ihre Rente aufbessern …

2. … ihr Kapital mit hohen Renditechancen anlegen …

3. … sich ein umfangreiches Immobilienvermögen aufbauen …
… möchten.

Gehen wir von einem Arbeitnehmer aus, der sein Leben lang ein Einkommen von 2.000 € pro Monat generiert. Wie sich im ersten Kapitel eingehend feststellen ließ, wird dieses Vermögen nicht genügen, um eine Rente zu erhalten, die ausreicht, um den bisherigen Lebensstandard zu halten. Gehen wir bestenfalls von einer Rente von 1.000 € im Monat aus. An dieser Stelle sollte man sich vor Augen führen, wie schwer es ist, den Lebensstandard urplötzlich von 2.000 € auf 1.000 € monatlich runterzufahren – kaum vorstellbar; es sei denn, man hat es selbst erlebt.

Es lohnt sich an dieser Stelle zu wissen, dass aus den 1.000 € im Monat 2.000 € werden können, sofern ein Immobiliensparplan verfolgt wird, der nur das Zurücklegen von höchstens 100 € pro Monat vorsieht. Es ist einfacher, das verfügbare Einkommen im jungen Alter von 2.000 € auf 1.900 € im Monat zu reduzieren, als zu Rentenzeiten von 2.000 € auf 1.000 €. Wie gelingt dieses Vorgehen? An dieser Stelle in Kürze:

- Zunächst wird eine Immobilie finanziert.

- Die Tilgung des Kredits wird durch die Mieteinnahmen sowie einen Eigenanteil von um die 100 € gestemmt.

◆ Nach den ersten Modernisierungsmaßnahmen und Mieterwechseln steigen die Mieterträge im 10. Jahr so an, dass es
keinen Eigenanteil mehr beizutragen gibt.

◆ Ab dem 10. Jahr ist die Finanzierung einer zweiten Immobilie möglich, da die 100 € Eigenanteil von der ersten Immobilie frei verfügbar sind.

◆ Nach 20 Jahren ist es soweit, dass die erste Immobilie mit
knapp 100 € im Plus ist und die zweite keinen Eigenanteil
fordert. Dies erlaubt die Finanzierung zweier weiterer Immobilien. Die eine wird durch den Überschuss finanziert,
während die andere durch den Eigenanteil von 100 € gestemmt wird.

◆ Nach 30 Jahren sind nach demselben Rechenmuster vier
weitere Immobilien möglich.

◆ Parallel dazu haben die ersten Immobilien eine Wertsteigerung verzeichnet, die über 40 Jahre – einen Wertzuwachs
von 20 % im Zeitraum von 10 Jahren zugrunde legend – eine
ordentliche Rendite mit sich bringt.

◆ Nach 40 Jahren genügt der Verkauf zweier Immobilien aus
der Anfangsphase des Immobiliensparplans, um alle ausste-
henden Verbindlichkeiten aufzulösen.

◆ Am Ende stehen vier Immobilien, die monatliche Mieterträge in einer Höhe von knapp 2.000 € einbringen, und
ein Immobilienvermögen, welches die halbe Million über-
schreitet. Alle Verbindlichkeiten sind getilgt, der Anleger
schuldenfrei und vermögend.

Dieser Immobiliensparplan wird in meinem Buch „Immobilien
kaufen, vermieten und Geld verdienen" komplett mit Zahlen
aus der Vergangenheit durchgerechnet, die sowohl die Weltwirtschaftskrise von 2007 als auch andere Faktoren berücksichtigen.
Diese werden mit Prognosen für die Zukunft kombiniert, um
einen adäquaten Eindruck von den Spielräumen zu verschaffen.
Darüber hinaus trägt das folgende Kapitel mit der Immo-Bilanz
zu einem besseren Verständnis der Thematik bei.

Bewertung:

- ◆ Sowohl für Klein- als auch Großanleger geeignet
- ◆ Sicherer Sparplan mit geringem finanziellen Aufwand und langfristigem Anlagehorizont
- ◆ Hohes Immobilienvermögen und monatlich hohe Mieteinnahmen als Resultat

Zerstückelungsstrategie: Wohnraum kaufen und an mehrere Personen vermieten

Mehrere Personen können höhere Kosten für denselben Wohnraum stemmen als eine einzelne Person. Auch ist die Zahlungsbereitschaft in diesem Fall ist höher. Dies können sich Anleger zum einen zunutze machen, indem sie eine Wohnung als WG vermieten. Zum anderen – und dies ist der mutmaßlich lukrativere Weg – ist die Vermietung eines Hauses an mehrere Personen möglich. Hat das Haus beispielsweise sieben Zimmer, lassen sich sechs Zimmer vermieten, während das verbliebene Zimmer als Gemeinschaftsraum genutzt wird. Küche und Badezimmer runden das Gesamtpaket ab. Der Vorteil davon ist, dass sich – je nach Lage – weitaus höhere Preise als bei der Vermietung an eine Familie erzielen lassen. Man rechne mit 1.200 € Mieteinnahmen bei einer Familie. Mit sechs Einzelpersonen zur Miete sind Preise um die 300 € pro Person nur allzu realistisch. Bei einer guten Lage lassen sich sogar 500 € pro Person erzielen – vieles ist in diesem Punkt reine Vermarktungsstrategie. Als Beispiel lässt sich ein Haus heranführen, dass zwar etwas abgelegen liegt, aber dafür eine Bushaltestelle förmlich direkt vor der Haustür hat, die es mit einer international renommierten Privat-Uni verbindet. In diesem Fall ließe sich das Haus als Studentenunterkunft vermieten. Aufgrund der abgelegenen Lage dürfte der Krach durch Partys den Nachbarn nichts ausmachen und es stünde am Ende eine außergewöhnliche Studenten-WG da. Weil die Studenten, die an einer international renommierten UNI studieren, dank ihrer Eltern tendenziell viel Geld mitbringen, dürfte die Vermietung einer Immobilie in einem solchen Stil kein Problem darstellen.

Nachteil dieser Strategie ist der hohe Aufwand, der sich dahinter verbirgt, die Personen adäquat zu betreuen. Zudem ist das Risiko eines weniger rücksichtsvollen Umgangs mit der Immobilie gegeben. Denn je mehr Personen eine Immobilie beziehen, umso wahrscheinlicher werden Mietausfälle, Mietnomaden und ähnliche Faktoren.

Bewertung:

♦ Methode, um das meiste aus der Immobilienvermietung herauszuholen

♦ Hohe Mietrenditen möglich

♦ Aufwand und Risiken bei der Wahl und Betreuung der Mieter sind in der Regel groß

Weitere Strategien in der Übersicht

Neben den genannten Strategien gibt es weitere Optionen, die im Folgenden aufgrund des hohen Aufwands nur kurz angeschnitten werden:

♦ Ferienwohnung/Ferienhaus

♦ Drehort

♦ Sonnendach

Ferienwohnung, Ferienhaus und Unterkunft werden für kurze Zeiträume vermietet. Dabei muss keine idyllische Lage gegeben sein. Auch in Großstädten ist die Nachfrage nach solchen Unterkünften groß. Insbesondere in Messe-Zeiträumen lassen sich Erträge von bis zu 100 € pro Nacht für durchschnittliche Unterkünfte erzielen. Hier ist jedoch eine Anfangsinvestition in Mobiliar absolute Pflicht. Achtzugeben ist darauf, ob über die Vermietung hinausgehende Leistungen erbracht werden. Ein zur Verfügung gestelltes Frühstück oder beispielsweise ein Angebot für Touristenführungen würde aus der Vermietung eine gewerbliche Tätigkeit machen. Dies hätte eine Gewerbeanmeldung und aufwändigere Steuerregelungen zur Folge.

Die Vermietung der Immobilie als Drehort für Filme und das Fernsehen ist nach Anfrage bei Agenturen denkbar. Es garantiert allerdings keine festen Einkünfte. Da aber lukrative Einmalzahlungen möglich sind, ist dies ein Weg, der z. B. dann gegangen werden kann, wenn die Immobilie gerade nicht vermietet wird und leer steht.

Wesentlich realistischer und lukrativer ist die Vermietung des eigenen Daches als Sonnendach. In diesem Fall wird einem Investor, der Photovoltaikanlagen betreibt, gestattet, eine solche Anlage auf dem eigenen Dach zu installieren und zu betreiben. Die Zahlungen des Investors erfolgen in Form einer Pacht und werden als solche in der Steuererklärung angegeben. Die besten Voraussetzungen bietet die Immobilie dann, wenn das Dach gen Süden ausgerichtet ist und kein Schatten aufs Dach fällt. Zudem ist eine Kombination der Vermietung des Dachs und der Vermietung der Immobilie als Wohnraum möglich: Doppelter Profit für einen selbst und darüber hinaus Förderung erneuerbarer Energien.

Die Schritte vom Interesse bis zur Immobilie

Abschließend werfen wir mit all den Kenntnissen einen Blick auf den Ablauf eines Immobilienkaufs. Dieser beginnt mit dem Interesse an einer Immobilie. Der Gang zur Bank ist erst dann empfehlenswert, sobald durchgerechnet wurde, ob genug Sicherheiten gegeben sind und ein Einkommen von knapp 2.000 € im Monat als Arbeitnehmer verzeichnet wird. Sollte Schuldenfreiheit bestehen und sind nach den monatlichen Ausgaben einige Hundert Euro übrig, so ist die ideale Basis zur Finanzierung der Immobilie gegeben. Ist zudem genug Eigenkapital für die Kaufnebenkosten angespart, darf jeder Anleger optimistisch gestimmt zur Bank gehen. Alternativ arbeitet man mit einem Strukturvertrieb, der sogar den Kauf einer Immobilie ohne Eigenkapital ermöglicht.

Von nun an geht es wie folgt weiter:

1. Bankanfrage: Es wird bei der Bank der Wahl angefragt. Dabei zeigt sich, dass Banken in einem kleinen Rahmen Toleranz zeigen. Sollte beispielsweise die gewünschte Immobilie zu fünf Prozent oberhalb der gewährten Kreditsumme liegen, wird in der Regel dennoch ein passendes Angebot erstellt.

2. Vorstellung des Angebots und Kaufentscheidung: Die Bank stellt ein Angebot oder mehrere vor. Durch das Einbringen von Eigenkapital lassen sich die Zinskosten senken. Ebenso ist es möglich, die komplette Immobilie finanzieren zu lassen.

3. Notarvertrag: Es wird ein Notarvertrag erstellt, nachdem das Angebot der Bank akzeptiert worden ist. Der Notarvertrag muss, dem Gesetz § 17 Abs. 2a Satz 2 Nr. 2 BeurkG[26] nach, dem Käufer zwei Wochen lang vorliegen, ehe die Immobilie gekauft wird. So hat der Käufer ausreichend Zeit, um sich mit dem Inhalt des Vertrags zu befassen.

4. Bankunterlagen werden vervollständigt: Innerhalb dieser zwei Wochen werden die Bankunterlagen final zusammengetragen und das Angebot der Bank wird unterzeichnet.

5. Bank- und Notartermin zur Abwicklung: Zum Ende hin wird bei einem Banktermin die Finanzierung besiegelt und das Geld auf das Konto des Käufers überwiesen. Im anschließenden Notartermin wird der Kauf der Immobilie durch Unterschrift und Überweisung des Kaufvertrags an den Verkäufer abgewickelt.

In den Folgetagen werden die Kaufnebenkosten auf den Käufer zukommen. Sollte dieser wider Erwarten knapp bei Kasse sein, überweist er idealerweise zunächst die Gebühren für den Notar und die Grundbucheintragung sowie die Maklerprovision. Die

---

[26] Vgl. https://www.gesetze-im-internet.de/beurkg/__17.html

Festsetzung der Grunderwerbssteuer erfolgt in den nächsten Wochen. Hier kann man sich bis zu zwei Monate Zeit mit der Überweisung lassen, da der Staat sich diesbezüglich mit Mahnungen Zeit lässt.

Zusammenfassung: Finanzierung und Vermietung als starkes Konstrukt

Die Beispielrechnung mit dem Immobiliensparplan hat gezeigt, dass Finanzierung und Vermietung ein starkes Gesamtkonstrukt bilden. Durch den Beginn mit einer Immobilie, die durch einen geringen Eigenanteil und ansonsten durch die Mieteinnahmen finanziert wird, fällt das Risiko verschwindend gering aus. Im Laufe der ersten schätzungsweise zehn Jahre passiert nichts Besonderes mehr und es wird, während die Mieter zahlen, dem gewohnten Berufs- und Privatleben nachgegangen. Ist die erste Immobilie ohne Eigenanteil finanzierbar, ist der Kauf der zweiten Immobilie möglich. So geht es weiter, bis ein regelrechtes Konstrukt aus Immobilien und Finanzierungen entsteht. Dabei lassen sich die Finanzierungen nach einer gewissen Zeit durch das angehäufte Immobilienvermögen ablösen. Diese Strategie ist allem voran für Kleinanleger reizvoll, hat aber die Qualität, zugleich für Großanleger ein komfortabler Weg zu einer Vergrößerung des Vermögens zu sein. Alle weiteren Strategien sind lukrativ, sehen aber größeren Aufwand vor und sind dementsprechend nicht mehr als Kapitalanlage zu betrachten, sondern vielmehr als eine eigene Unternehmung. Eine Kapitalanlage in Immobilien ist somit idealerweise mit einem Minimum an Aufwand und einem Maximum an Sicherheit verbunden. Dabei ist der Weg zur Finanzierung über eine Bank durch ein Angestelltenverhältnis, welches unbefristet ist und schon mindestens drei Monate besteht, am einfachsten. Ist ausreichend Eigenkapital für die Deckung der Kaufnebenkosten gegeben, steht einer eigenen Immobilie nichts im Wege.

Vermietung mit Finanzierung: Die Immo-Bilanz

Die Immobilien-Bilanz wird bei einer Vermietung der Immobilie bei parallel laufender Finanzierung bei einer Bank zur Veranschaulichung der finanziellen Aufwendungen angewandt. Es wird davon ausgegangen, dass die Immobilie durch einen Bankkredit gekauft wird. Daraufhin werden durch die Tätigkeit als Vermieter Mieteinnahmen sowie Steuervorteile generiert. Diese Einnahmen führen dazu, dass die Finanzierung bereits zum Großteil abgedeckt ist. Der Rest der Kosten wird durch einen geringen Eigenanteil abgedeckt. Wer glaubt, dass eine eigene Immobilie mit einem monatlichen Eigenanteil von knapp 80 € nicht finanzierbar ist, wird bei der Immo-Bilanz eines Besseren belehrt. In diesem Kapitel und zugleich in diesem Buch wird die Immo-Bilanz nur rudimentär durchgegangen. Mein Buch „Immobilien kaufen, vermieten und Geld verdienen", welches die Immobilie als Kapitalanlage zur Vermietung betrachtet, geht in diesem Punkt in die Tiefe, indem es die Mechanismen und Möglichkeiten zur Steigerung der Mieterträge, die Steuerregularien samt Rechenbeispielen und präzisen Anleitungen sowie die weiteren Posten der Immo-Bilanz detailliert ausführt.

Immo-Bilanz auf einen Blick

aktiva	passiva
Mieteinnahmen 4 %	BANKKOSTEN 4,5 %
Steuervorteile 0,5 %	VERWALTUNGSKOSTEN 1 %
EIGENANTEIL 1 %	
Gesamt 5,5 %	GESAMT 5,5 %

Die Immo-Bilanz bezieht sich immer auf ein komplettes Jahr. Dies macht insofern Sinn, als die Steuervorteile immer in der jährlichen Einkommensteuererklärung geltend gemacht werden. Darüber hinaus bezieht sich unter den Bankkosten der effektive Jahreszins, der später näher erklärt wird, auf ein Jahr.

Es wird von einer Immobilie ausgegangen, die 100.000 € im Kaufpreis kostet, wobei die Kaufnebenkosten außen vorgelassen werden. Somit ergeben sich für alle Posten die folgenden Werte:

- Mieteinnahmen: 4.000 €
- Steuervorteile: 500 €
- Eigenanteil: 1.000 €
- Bankkosten: 4.500 €
- Verwaltungskosten: 1.000 €

Zugegebenermaßen handelt es sich sogar um eine pessimistische Einschätzung; pessimistisch dahingehend, dass der Vermieter für eine derartige Immobilie in den meisten Gegenden Deutschlands mehr als 4.000 € jährliche Miete einnehmen würde und geringere Bankkosten in der Niedrigzinsphase keine Seltenheit sind. Doch es ist besser, sich schlecht zu rechnen, als sich gut zu rechnen. Rechnet man sich nämlich schlecht, ist eine umso schönere Realität wahrscheinlich. Doch auch in diesem Beispiel ist die Realität bereits als schön zu bewerten. Denn wird der jährliche Eigenanteil von 1.000 € betrachtet, so ergibt sich monatlich ein Betrag von knapp 83 €.

Mieteinnahmen und Steuervorteile decken die Finanzierung ab

Werden die Mieteinnahmen und Steuervorteile auf Seiten der Aktiva zusammengerechnet und in Bezug zu den Finanzierungskosten bei der Bank unter den Passiva gesetzt, ergeben sich auf beiden Seiten 4,5 % bzw. in unserem Beispiel 4.500 €. Somit decken die Mieteinnahmen und die Steuervorteile die Finanzierung ab. Lediglich die Verwaltung mit 1 % sorgt für den benötigten Eigenanteil. Zwar können Kosten für den Hausmeister durch eine eigene Verwaltung umgangen werden, doch fallen in diesem Modell unter die Verwaltung auch Instandhaltungsrücklagen sowie Versicherungskosten, die sich nicht umgehen lassen. Somit ist ein Eigenanteil anfangs notwendig.

Miete bestimmen und regelmäßig erhöhen

Im Verlaufe der Jahre ist eine Senkung des Eigenanteils möglich. Nachdem die Miete für den ersten Mieter auf Basis des örtlichen Mietspiegels festgelegt wurde, ist das Ziel eines Kapitalanlegers eine sukzessive Mieterhöhung, um den Eigenanteil mit den Jahren zu senken. Idealerweise steht noch während des Ablaufs der Finanzierung kein Eigenanteil mehr zu Buche, sondern ein Überschuss.

Für die Mieterhöhung gelten Gesetze, wobei zunächst gilt, dass die Miete bis zur ortsüblichen Vergleichsmiete erhöht werden darf, sofern sie zuvor 15 Monate unverändert war. (vgl. § 505 BGB[27]) In demselben Paragrafen ist zudem festgelegt, dass die Miete, wenn sie bis zur ortsüblichen Vergleichsmiete erhöht wird, innerhalb dreier Jahre nicht um mehr als 20 % steigen darf. Sollte die Wohnungslage besonders angespannt sein, weil beispielsweise eine hohe Nachfrage herrscht, wird das Maximum von 20 % auf 15 % im Drei-Jahres-Zeitraum reduziert.

Hinweis!

Die ortsübliche Vergleichsmiete können Vermieter einerseits anhand dreier Vergleichswohnungen, die der eigenen ähneln, sowie durch online abrufbare Mietspiegel ermitteln.

Es sei – da lieber pessimistisch als optimistisch gerechnet wird – von einer Mieterhöhung alle drei Jahre um 10 % ausgegangen: In diesem Fall wird aus einer Miete, die im ersten Jahr noch 4 % vom Kaufpreis betrug, eine Miete, die 4,4 % vom Kaufpreis beträgt. Dadurch beträgt der monatliche Eigenanteil 0,6 anstelle 1 %. Die

---

[27] Vgl. https://www.gesetze-im-internet.de/bgb/__558.html

Folge sind jährliche Kosten in Höhe von 600 anstelle der 1.000 €;
auf den Monat bezogen sind es 50 €.

Es ergeben sich im Falle von Renovierungen, Sanierungen und
Modernisierungen sowie Mieterwechseln weitere Gelegenheiten,
die Miete zu steigern. Wird allerdings rein die Erhöhung auf Basis
der ortsüblichen Vergleichsmieten alle drei Jahre um 10 % fort-
gesetzt, so würde die Immobilie nach einem Zeitraum von neun
Jahren keinen Eigenanteil mehr verursachen, sondern einen Überschuss erwirtschaften.

Gebäudeabschreibung als Steuerersparnis

Unter Miteinbezug der Steuervorteile ergibt sich bereits früher ein
erwirtschafteter Überschuss der Immobilie. Zum einen sind die
Verwaltungskosten absetzbar, zum anderen greift die Gebäudeabschreibung als wichtiger Faktor. Die Gebäudeabschreibung erfolgt
nach gesetzlich vorgeschriebenen Regeln. Ihr zugrunde liegt der
Grundsatz, dass sich eine Immobilie mit zunehmender Nutzungsdauer abnutzt. Dementsprechend wird über eine bestimmte Dauer
der Gebäudewert abgeschrieben. Die Dauer sowie die Sätze für die
sogenannte AfA (Abschreibung für Abnutzung) variieren mit dem
jeweiligen Gebäude sowie dessen Alter. Die einzelnen Sätze sowie
Rechenmethoden samt Beispielrechnung führt das Folgekapitel auf.

Um eine adäquate Vorstellung davon zu erzeugen, welche Vorteile
die AfA mit sich bringt, sei die steuerliche Geltendmachung im
Groben aufgeführt:

- ◆ Eine Immobilie wird für 100.000 € gekauft.

- ◆ Nun muss für die Abschreibung der separate Grundstückswert ermittelt werden, da nur das Gebäude abnutzt und abgeschrieben werden darf.

- ◆ Der Grundstückswert wird anhand einer Bodenrichtwert-
  tabelle vom Kaufpreis subtrahiert.

- Der nun verbleibende Betrag ist der Wert des Gebäudes bei Anschaffung.

- Dieser Betrag wird über einen vorgeschriebenen Zeitraum zu einem vorgeschriebenen jährlichen Prozentsatz abgeschrieben.

Ein möglicher Zeitraum für die Gebäudeabschreibung sind dem Gesetz nach 50 Jahre, wobei 2 % pro Jahr für das Gebäude abgeschrieben werden dürfen. Unter der Annahme, dass das Gebäude einen Anteil von 95.000 € am Kaufpreis von 100.000 € für die gesamte Immobilie hat, ergeben sich 1.900 € jährlicher Abschreibungssatz. Dies allein würde einen Steuervorteil von 1,9 % pro Jahr ergeben. Doch da gleichzeitig die Einnahmen versteuert werden müssen, reduziert sich der Vorteil und ist in der Tabelle mit 0,5 % pauschal festgesetzt. Nähere Erklärungen zu den Steuern erwarten Sie ebenfalls im Folgekapitel.

Bank- und Verwaltungskosten im Überblick

Die Verwaltungskosten sind bei einer Errechnung die einfachere Komponente. Hier fließen selbst gebildete Instandhaltungsrücklagen ein, die gesetzlich nicht fest definiert sind, sondern dem eigenen Ermessen überlassen werden. Ebenso enthalten die Verwaltungskosten den Service für die Mieter – ob in Form eines Hausmeisters oder eines Unternehmens. Zudem ergeben sich die Verwaltungskosten aus den Versicherungen für das Gebäude und der Aktivität der Vermieter. Wesentlich fordernder in der Errechnung, steuerlichen Geltendmachung und dem Vergleich zwischen verschiedenen Anbietern sind jedoch die Bankkosten.

Bankkosten: Effektiver Jahreszins als Vergleichsbasis

Die Finanzierung einer Immobilie wird durch die Zinsen sowie Tilgungsraten abgedeckt. Hierin verborgen sind allerdings zahlreiche weitere Komponenten, die die Übersicht sowie Beurteilung der Bankkosten ohne Vorkenntnisse erschweren:

- ◆ Nominalzinssatz

- ◆ Tilgung

- ◆ Disagio

- ◆ Weitere anfallende Kosten

Die folgenden Abschnitte werden die einzelnen Komponenten erläutern, damit Transparenz in den Posten der Bankkosten einkehrt. Zunächst sei informiert, dass der Gesetzgeber für das Problem der mangelnden Transparenz eine Lösung geschaffen hat: Den effektiven Jahreszins.

Mit dem effektiven Jahreszins sollen alle Kosten der Finanzierung auf einen Punkt gebracht werden, sodass die Kredite untereinander vergleichbar gemacht werden. Früher wurde von den Banken immer nur der Nominalzinssatz (siehe unten) erwähnt, wobei das Problem war, dass dieser die Nebenkosten der Finanzierung nicht miteinschloss. Dies bedeutet, dass die Kunden zwar den Nominalzinssatz – also die Schuldzinsen – bei Angeboten verschiedener Banken vergleichen konnten, aber andere Kostenaspekte schlicht und einfach fehlten. Um diese Lücke zu schließen, wurde der effektive Jahreszins geschaffen, der sämtliche jährliche Kosten eines Kredites zusammenfasst: Nominalzinssatz, Zins- und Tilgungsverrechnungstermine sowie weitere variable Kostenpunkte. Dies schafft wesentlich mehr Transparenz als die Auflistung des Sollzinssatzes, Tilgungssatzes und weiterer separater Bedingungen.

Nominalzinssatz

Der Nominalzins wird auch als Sollzins bezeichnet. Er stellt die Gebühren für die Leihgabe des Geldes dar und klammert weitere Nebenkosten aus. Es handelt sich somit um die Schuldzinsen, die in der Steuererklärung nicht geltend gemacht werden können. Im Endeffekt lässt sich der Nominalzins vereinfacht als Leihgebühr für die Kreditsumme bezeichnen. Es gibt den gebundenen und den veränderlichen periodischen Nominalzins, wie § 489 Absatz 5 BGB[28] konstatiert. Während der gebundene Sollzins bis zum Ablauf der Kreditdauer festgeschrieben ist, wird beim veränderlichen periodischen Nominalzins der Zinssatz monatlich angepasst, wobei der Sollzins sinkt. Nichtsdestotrotz bedeutet der gebundene Sollzins keineswegs, dass sich der Zinssatz während der Dauer der Finanzierung nicht verändern kann. Er kann durch mehrmalige Veränderungen und Preisanpassungsklauseln von Banken verändert werden. Diese sind dazu gedacht, auf Veränderungen auf dem Markt, wie z. B. die von der Europäischen Zentralbank berechneten Zinssätze, zu reagieren.

Tilgung

Die Tilgung dient der Rückzahlung der Kreditsumme. Es handelt sich hierbei nicht um Zinsen, sondern Raten, die anfangs vom Kreditnehmer bezahlt werden. Dabei gilt: Je höher die Tilgungsraten, umso schneller ist der Kredit abbezahlt. Waren früher angesichts der hohen Zinsen noch Tilgungsraten von einem Prozent üblich, sind heute Tilgungsraten von bis zu 3 % keine Seltenheit. 3 % jährliche Tilgung bedeutet, dass der Kredit in 33 1/3 Jahren abbezahlt werden würde. Im Vergleich zu 2 % jährlicher Tilgung ergibt sich der Vorteil, dass die Laufzeit bzw. Rückzahlung des Kredits nicht mehr 50 Jahre beträgt, sondern mit den 33 1/3 Jahren um 16 2/3 Jahre kürzer ausfällt.

Hinweis!

Als früher die Zinsen höher waren und die Tilgung bei einem Prozent pro Jahr lag, bedeutete dies selbstverständlich nicht, dass der Kredit über 100 Jahre abgezahlt wurde. Es wurde anfangs eine Tilgungsrate mit einem Prozent Anteil bestimmt. Nachdem ein gewisser Teil abbezahlt war, sanken die Zinskosten und somit die Tilgungsrate, da die Restsumme des Kredits geringer war. Folglich konnte ab einem bestimmten Zeitpunkt aufgrund der gesunkenen Kosten die Tilgungsrate angehoben werden.

---

[28] Vgl. https://www.gesetze-im-internet.de/bgb/__489.html

Heute ist es empfohlen – je nach monatlicher Belastbarkeit – die Tilgungsraten möglichst hoch anzusetzen, wobei 3 % jährlich als Idealfall angesehen werden. Daraus ergeben sich folgende Vorteile:

♦ Verbesserter Sollzins/Nominalzins: Dadurch, dass die Tilgung schneller erfolgt, werden die Kreditnehmer mit verbesserten Zinskonditionen belohnt. Wird zusätzlich Eigenkapital für die Finanzierung angewandt, verringert sich der Sollzins nochmals.

♦ Schnellere Rückzahlung: Durch höhere Tilgung wird der Rückzahlungszeitraum für den Kredit verkürzt, was eine Senkung des Zinsanteils an den Kosten bewirkt.

♦ Geringere Restschuld bei Anschlussfinanzierungen: Wird der Sollzinssatz für einen Zeitraum von 20 Jahren festgelegt und ist daraufhin eine Anschlussfinanzierung für den restlichen Zeitraum der Finanzierung erforderlich, so steht eine geringere Restschuld zu Buche, die die Kostenstruktur bei der Anschlussfinanzierung optimiert.

Disagio

Das Disagio ist ein Sonderfall, welcher bei Eigenheimfinanzierungen selten zur Anwendung kommt. Umso mehr kann sich das Disagio unter Umständen bei der Finanzierung einer Immobilie als Kapitalanlage lohnen. Es handelt sich dabei um ein Aufgeld, welches der Kreditnehmer zahlt.

Man gehe davon aus, dass eine Immobilie über 100.000 € finanziert werden soll. Nun zahlt die Bank aufgrund eines vereinbarten Disagios von 5 % 95.000 € aus. Dies bedeutet, dass der Kreditnehmer die 5.000 € dafür aus Eigenkapital oder anderem Fremdkapital einbringen muss. In der Finanzierung zahlt der Kreditnehmer allerdings Zinsen auf den ursprünglichen Betrag von 100.000 €. Welchen Vorteil hat also diese Finanzierung, bei der die Bank 95.000 € auszahlt (tatsächlicher Auszahlungskurs), aber der Kunde dennoch die Zinsen für die 100.000 € zahlen muss?

Ein Vorteil besteht darin, dass dadurch der Nominalzins sinkt, was ebenso den Effektivzins – also die jährlichen gesamten Bankkosten – senkt. Denn durch das Aufgeld seitens des Kreditnehmers erhält die Bank mehr Sicherheiten. Zudem ist das Aufgeld kein Geschenk, sondern eine Zinsvorauszahlung für die Bank. Ein weiterer Vorteil liegt darin, dass das Disagio steuerlich direkt abgesetzt werden kann und somit die Steuerlast im Jahr der Kreditaufnahme mindert.

Der Nachteil wiederum besteht darin, dass der Kunde Zinsen auf 100.000 € zahlen muss, obwohl er 5.000 € weniger von der Bank ausgezahlt erhält. Bei einer Immobilie, die als Kapitalanlage zur Vermietung finanziert wird, kann sich diese Vorgehensweise lohnen. Im Falle einer Immobilie, die zur Eigennutzung finanziert wird, ist dies aufgrund der geringeren Steuervorteile selten der Fall. Dennoch ist ein Disagio ein unübliches Mittel im Rahmen aller Immobilienfinanzierungen, welches sich lediglich in Einzelfällen rechnet.

Hinweis!

Bei einer Disagio-Finanzierung handelt es sich um keine Finanzierung mit Eigenkapital. Eigenkapitalfinanzierungen bedeuten, dass eine Summe X von dem Kreditnehmer eingebracht wird, was die Finanzierungsdauer reduziert und die Zinskonditionen optimiert. Jedoch wird von der Bank die volle Kreditsumme ausgezahlt und auf Basis derer werden die Schuldzinsen gezahlt. Bei einem Disagio erfolgt keine hundertprozentige Auszahlung, da in Form des Disagios eine vereinbarte Zinssumme als Vorauszahlung für die Zinsen einbehalten wird.

Weitere anfallende Kosten

Die Termine zur Finanzierung lässt sich die Bank ebenfalls kosten. Diese sind unter den Bearbeitungsgebühren sowie den Zins- und Tilgungsverrechnungsterminen aufgeführt. Auch Wertermittlungsgebühren für die Immobilie können anfallen. Des Weiteren werden bei Neubauten häufig Bereitstellungszinsen und Zuschläge für Teilauszahlungen festgesetzt. Diese anfallenden Kosten sind nur schätzbar, da sie keinen regulären Kreditverlauf repräsentieren. Dementsprechend sind sie aus den Berechnungen ausgeschlossen. Der Vollständigkeit halber wurden sie nun erwähnt.

Der jährliche Effektivzins als Lösung

Je nach möglichem Disagio kann es sein, dass sogar ein attraktiv wirkender Sollzinssatz im Nachhinein höhere Kosten verursacht, als dies bei einem auf den ersten Blick höheren und somit teureren Sollzinssatz der Fall wäre. Da die soeben erwähnten Komponenten auf verschiedene Weisen interagieren und die Posten selbst bei einer separaten Betrachtung für Verbraucher keine Aussagekraft haben, wurde der jährliche Effektivzins eingeführt. Sollte der jährliche Effektivzins im Finanzierungsangebot einer Bank nicht aufgeführt werden, so hat der Verbraucher das Recht, eine entsprechende Angabe bei der Bank bzw. dem Kreditinstitut einzufordern.

Kosten für die Hausverwaltung

Die Kosten der bloßen Verwaltung an sich sind für den staatlich geförderten Mietwohnungsbau in der Zweiten Berechnungsverordnung so geregelt, dass seit dem 1. Januar 2017 für die Verwaltung bis zu 284,63 € jährlich pro Wohnung und bis zu 37,12 € jährlich pro Garagenstellplatz verlangt werden dürfen[29]. Für nicht staatlich geförderten Mietwohnungsbau sind die Vorschriften weniger eng und liegen bei 200 bis 300 € pro Jahr für die Verwaltung je Wohnung und 20 bis 30 € pro Jahr je Tiefgaragenstellplatz[30]. Die Aufgaben der Verwaltung sind mitunter im § 21 Absatz 5 WEG[31] geregelt. Sie umfassen u. a. die Aufstellung einer Hausordnung, Versicherungen des gemeinschaftlichen Eigentums gegen Feuer zum Neuwert und eine Versicherung jedes Wohnungseigentümers gegen die Haus- und Grundbesitzerhaftpflicht. Ebenso geht die Verwaltung Aufgaben nach, die in dem Paragrafen nicht aufgeführt sind, was beispielsweise auf die

---

[29] Vgl. Siepe, W.: Immobilien verwalten und vermieten. S. 33
[30] Vgl. ebenda
[31] https://www.gesetze-im-internet.de/woeigg/__21.html

Jahresabrechnung zutrifft[32]. Weitere Details sind mit der separaten Hausverwaltung zu besprechen und vertraglich festzulegen. Zwar ist es möglich, die Kosten dadurch einzusparen, dass einer der Eigentümer die Verwaltungsaufgaben selbst übernimmt, doch üblich ist – insbesondere in Wohnungseigentümergemeinschaften – eine externe Verwaltung. Diese verursacht Kosten, die bei ungefähr 300 € im Jahr anzusetzen sind, was in der Immo-Bilanz bereits 0,3 der 1,0 % jährlichen Kosten für die Verwaltung entspricht.

Weitere Kosten verursachen Versicherungen, die über die Feuerversicherung sowie die Haus- und Grundbesitzerhaftpflichtversicherung durch die Verwaltung hinausgehen. Diese wählt jeder Wohnungseigentümer in der Wohnungsgemeinschaft separat. Mögliche Versicherungen sind hierbei[33]:

- Wohngebäudeversicherung: Versichert gegen Sturm, Feuer, Explosionen und weitere vertraglich vereinbarte Schadensfälle. Von 50 bis 200 € jährlich erhältlich. Bei Finanzierungen wird ein Nachweis dieser Versicherung von Banken verlangt.

- Versicherung gegen Elementarschäden: Versichert um eine erweiterte Auswahl spezieller Schadensfälle im Vergleich zur Wohngebäudeversicherung. Je nach Lage – z. B. am Meer gegen Überschwemmungen – sinnvoll. Beträge stark variabel.

- Gebäude- bzw. Haus- und Grundbesitzerhaftpflichtversicherung: Versichert gegen alle Schäden – auch an Personen –, die vom eigenen Grundstück ausgehen. Sofern keine externe Verwaltung vorhanden ist, ist diese Versicherung bei einem jährlichen Betrag von knapp 40 € eine elementare Absicherung, die Vermieter separat abschließen müssen.

- Mietausfallversicherung: Greift bei Schäden, durch die Wohnungen nicht bewohnbar werden und die Miete daher

---

32 Vgl. Siepe, W.: Immobilien verwalten und vermieten S. 29
33 Vgl. https://www.makler-vergleich.de/immobilien-vermieten/immobilien-vermieten-tipps/vermietung-versicherung.html#2.1

ausfällt. Hilft ebenso bei Mietern, die nicht zahlen. Allerdings gelten für die Versicherungsleistung strenge Bedingungen. Im Regelfall ist die Versicherung keine Hilfe. Sie kann bis zu 200 € im Jahr kosten.

♦ Vermieter-Rechtsschutzversicherung: Versichert bei bestimmten Rechtskonflikten bestimmte Summen; welche Rechtskonflikte dies sind und welche Höhe die Summen haben, ist vertraglich geregelt. Ein Abschluss dieser Versicherung obliegt dem eigenem Ermessen und ist erst bei negativen Erfahrungen empfohlen. Die Kosten belaufen sich schätzungsweise auf bis zu 600 € im Jahr.

Neben den Versicherungen bildet das letzte hier aufgeführte Glied der Immobilien-Bilanz die Instandhaltungsrücklage. Diese ist gesetzlich nicht fest geregelt. Schlimmstenfalls bilden Vermieter keine Instandhaltungsrücklagen[34]. Intention hinter einer Instandhaltungsrücklage ist, für eventuell auftretenden Sanierungsbedarf oder unvorhergesehene Kosten Rücklagen gebildet zu haben. So sind finanzielle Mittel verfügbar, um die Schäden zu beheben und die Instandhaltung sowie fortlaufende Vermietung sicherzustellen. Vermietern sei empfohlen, die Instandhaltungsrücklage so festzusetzen, dass sie dem Alter und Zustand des Gebäudes angemessen ist: Je älter und sanierungsbedürftiger das Gebäude bzw. die eigene Wohnung ist, umso höher sind die Instandhaltungsrücklagen anzusetzen. Es sei als Beispiel von einer 30 Jahre alten Wohnung ausgegangen, die 50 Quadratmeter misst und wie in der Immo-Bilanz dieses Kapitels bei der Anschaffung 100.000 € gekostet hat. In diesem Fall wäre ein empfohlenes Maß zur Instandhaltungsrücklage jährlich 10 € pro Quadratmeter. Dies hätte zur Folge, dass sich die jährlichen Kosten für die Instandhaltung auf 500 € beliefen. Somit wären die verbliebenen 0,5 % der Verwaltungskosten pro Jahr im Beispiel abgedeckt.

---

[34] Vgl. Hebisch, B.: Immobilie richtig besichtigen. S. 55

Zusammenfassung: Eine Kapitalanlage in Immobilien lohnt sich auch mit Finanzierung!

Die Immo-Bilanz veranschaulicht, inwiefern sich Immobilien mit Finanzierung bei einer Vermietung rentieren. Sie lässt sich tabellarisch bereits mit wenigen Posten darstellen und erlaubt in dieser rudimentären Darstellung die wichtigsten Rückschlüsse auf die Kosten und den Ertrag. Von Anfang an ist bei der Finanzierung einer Wohnung durch die Mieteinnahmen ein geringer Eigenanteil einzubringen, der schon nach zehn Jahren weichen kann, sobald die ersten Mietsteigerungen und Renovierungen realisiert wurden. Zudem sinken die Bankkosten mit der Zeit, was ebenfalls ein kostenmindernder Effekt ist und die Immobilie sogar mit einer Finanzierung zu einem lukrativen Investment macht.

Die Immobilie in der Steuererklärung

Sowohl in der Eigennutzung als auch im Falle einer Kapitalanlage lassen sich Kosten, die die Immobilie verursacht, geltend machen. Dabei ist der Umfang der steuerlich abzugsfähigen Kosten bei einer Kapitalanlage umfangreicher. Das Ausfüllen der Steuererklärung erweist sich bei Vermietern am einfachsten, da die Ein- und Ausgaben im Bereich der Sonstigen Einkünfte angegeben werden. Erfolgt die Kapitalanlage in Form eines An- und Verkaufs von Immobilien, liegt eine unternehmerische Tätigkeit vor, für die ein Gewerbe angemeldet werden muss. Hier sind die Steuerregularien umfangreicher.

Steuern bei der Eigennutzung

Zwar sieht eine Kapitalanlage in Immobilien keine Eigennutzung vor, doch der Vollständigkeit wegen wird in diesem Abschnitt rudimentär auf die Steuern bei einer Eigennutzung eingegangen. Dies kann für Kapitalanleger in Zukunft dahingehend interessant werden, dass sie sich dazu entschließen, die Immobilie nicht mehr als Kapitalanlage zu verwenden, sondern selbst zu nutzen.

Handwerkerleistungen

Nach § 35a Absatz 3 EStG[35] haben Immobilieneigentümer, die ihre Immobilie selbst nutzen, das Recht, 20 % der Handwerkerkosten bis maximal 1.200 € jährlich von der Steuer abzusetzen. Dies betrifft allerdings nicht die Materialkosten, die in die Dienstleistung eines Handwerkers eingerechnet werden. Stellt der Handwerker seine Rechnung korrekt aus, werden darauf die einzelnen Posten ausgewiesen, wozu neben den Materialkosten die folgenden Posten gehören:

♦ Arbeitszeit

♦ Anfahrtszeit zur Baustelle

♦ Maschinenkosten

Welche Art von Leistung dies ist, spielt an dieser Stelle keine Rolle. Solange die Handwerkerleistung im Kontext mit der Immobilie (z. B. Ausbau der Wohnfläche, Modernisierung, Sanierung) steht, sind 20 % der Handwerkerkosten bis maximal 1.200 € in jedem Jahr von der Steuer absetzbar. Ausdrückliche Bedingung ist allerdings eine präzise und unmissverständliche separate Ausweisung der Materialkosten auf der Rechnung, da sich ansonsten die Leistung steuerlich nicht absetzen lässt.

Hinweis!

Im Gegensatz zum üblichen Absetzen von der Steuer werden in diesem Fall die Ausgaben nicht von der Bemessungsgrundlage, sondern von der Steuer direkt abgezogen. Der steuerliche Abzug nach Bemessungsgrundlage bedeutet, dass zunächst das Einkommen errechnet wird und dann die Ausgaben subtrahiert werden. Es ergibt sich das zu versteuernde Einkommen. Im Falle der Handwerkerleistungen werden jedoch die Kosten von der Steuer direkt abgezogen. Muss beispielsweise der Eigentümer aufgrund seiner Einkünfte aus dem Beruf 5.700 Euro an Steuern zahlen, so werden davon die Kosten für die Dienstleistung der Handwerker steuerlich geltend gemacht. Auf diesem Wege wird die Steuerlast stärker gemindert als bei dem Steuerabzug nach Bemessungsgrundlage.

---

[35] Vgl. https://www.steuertipps.de/gesetze/estg/35a-steuerermaessigung-bei-aufwendungen-fuer-haushaltsnahe-beschaeftigungsverhaeltnisse-haushaltsnahe-dienstleistungen-und-handwerkerleistungen

Gehen wir davon aus, dass der Handwerker eine Rechnung über 780 € stellt. Darunter sind 290 € Materialkosten ausgewiesen. Zunächst sind für einen korrekten Abzug von der Steuern die 290 € von den 780 € Gesamtkosten zu subtrahieren, wobei 490 € das Endresultat bilden. Davon sind 20 %, in diesem Fall 98 €, steuerlich absetzbar. Wird bei dem Umfang und den Kosten der Leistungen derart viel investiert, dass 20 % abzüglich der Materialkosten über die 1.200 € hinausgehen, so dürfen maximal die 1.200 € steuerlich geltend gemacht werden.

Haushaltsnahe Beschäftigungsverhältnisse und Dienstleistungen

Alle Leistungen, die im eigenen Haus oder auf dem eigenen Grundstück verrichtet werden, fallen in den Bereich der haushaltsnahen Dienstleistungen. Ist die jeweilige Hilfskraft angestellt, handelt es sich um ein haushaltsnahes Beschäftigungsverhältnis. § 35a Absatz 1 EStG[36] regelt, dass haushaltsnahe Beschäftigungsverhältnisse im Rahmen einer geringfügigen Beschäftigung (z. B. Minijob, studentische Hilfskraft in den Semesterferien) zu 20 % in der Steuererklärung geltend gemacht werden dürfen. Mit bis zu 510 € ist eine jährliche Obergrenze festgelegt. Materialkosten dürfen nicht geltend gemacht werden.

In § 35a Absatz 2 EStG[37] ist festgelegt, dass haushaltsnahe Beschäftigungsverhältnisse oder Dienstleistungen, die den Kriterien des ersten Absatzes nicht entsprechen, zu 20 % mit einer Obergrenze bis zu 4.000 € geltend gemacht werden dürfen. Dabei sind erneut die Materialkosten von der Regelung ausgeschlossen. Es kann sich um in Teil- oder Vollzeit angestellte sowie selbstständige Hilfskräfte handeln.

---

[36] Vgl. https://www.steuertipps.de/gesetze/estg/35a-steuerermaessi-gung-bei-aufwendungen-fuer-haushaltsnahe-beschaeftigungsver-haeltnisse-haushaltsnahe-dienstleistungen-und-handwerkerleis-tungen

[37] Vgl. ebenda

Zu den haushaltsnahen Beschäftigungsverhältnissen und Dienstleistungen zählen z. B. Putzen, Babysitten, Gärtnern und die Pflege bedürftiger Personen. Die ausschlaggebende Bedingung ist, dass diese Arbeiten in der eigenen Immobilie oder auf dem eigenen Grundstück stattfinden. Die Müllabfuhr fällt aus diesem Raster raus. Erneut werden die Kosten nicht von dem Einkommen, sondern von der bereits errechneten Einkommenssteuer abgezogen, was einen größeren steuerlichen Vorteil darstellt.

Sonstige Posten

Unter Umständen lässt sich das Arbeitszimmer von der Steuer absetzen. Hier hat der Gesetzgeber jedoch strenge Vorschriften festgelegt, die die Größe des Arbeitszimmers und dessen Anteil an der gesamten Wohnfläche eingrenzen. Zudem sind die Forderungen gegeben, dass das Arbeitszimmer den Arbeitsmittelpunkt darstellt oder dem Arbeitenden kein anderer Arbeitsraum zur Verfügung steht. Während Mieter die erlaubten Kosten von der Miete subtrahieren, sind es bei Eigentümern einer Immobilie die Kosten für die Gebäudeabschreibung des Arbeitszimmers und anteiligen Schuldzinsen für Kredite, die jährlich in bestimmten Sätzen geltend gemacht werden dürfen. Die gesamten Vorschriften würden allerdings zu weit vom Thema abschweifen. Da die steuerliche Abzugsfähigkeit der Kosten für Arbeitszimmer einen Sonderfall darstellt, sind nähere Infos vom Steuerberater einzuholen.

Zudem sei festgehalten, dass die Grunderwerbssteuer selbst nicht abzugsfähig von der Einkommenssteuer ist, aber dass sich an diesem Posten beim Kauf einer Immobilie sparen lässt. Suchen Personen – dies gilt sowohl für Kapitalanleger als auch Personen mit dem Bestreben einer Eigennutzung – eine Immobilie in einer Lage, die zwei Bundesländer umfasst, so lohnt ein Blick auf die einzelnen Grunderwerbssteuersätze der Bundesländer. Hierzu gab es bereits in den vorigen Kapiteln eine entsprechende tabellarische Übersicht mit den unterschiedlichen Steuersätzen der Bundesländer.

Sowohl Schuldzinsen als auch Tilgungsraten sind für Eigennutzer steuerlich nicht absetzbar; es sei denn, es ist ein Arbeitszimmer vorhanden und dessen Anteil an Schuldzinsen und Tilgungsraten wird steuerlich abgesetzt.

Steuern bei der Vermietung

Vermieter haben, da sie die Immobilie zu Zwecken der Einkommenssteigerung vermieten und nicht selbst beziehen, einen größeren Umfang an Posten, die steuerlich geltend gemacht werden dürfen. Hier fließen laufende Fixkosten ebenso wie variable Kosten und einmalige Kosten mit ein. Auch dürfen Rücklagen für die Instandhaltung gebildet werden, die bei Ausgaben steuerlich abzugsfähig sind.

Gebäudeabschreibung

Die Abschreibungsmöglichkeiten richten sich nach der Art der Immobilie und werden dementsprechend im Folgenden in mehreren Modellen vorgestellt. Man bezeichnet die Gebäudeabschreibung ebenso wie jede andere Form der Abschreibung als Abschreibung für Abnutzung (AfA).

Die Gebäudeabschreibung richtet sich nach dem Anschaffungspreis oder den Herstellungskosten. Der Anschaffungspreis gilt beim Kauf einer Immobilie, die Herstellungskosten sind beim Bau einer Immobilie oder der Instandsetzung maroder Immobilien die Bemessungsgrundlage. Hinsichtlich des Anschaffungspreises fließen nach HGB und EStG 3[38] neben dem Kaufpreis auch die Nebenkosten in den Kauf mit ein. Im Kontext mit Immobilien sind hierbei die Notarkosten, die Grunderwerbssteuer sowie die Maklerprovision mit einzuberechnen. Die Gebühren für die Eintragung ins Grundbuch entfallen, da das Gesetz diese nicht zu den Kaufnebenkosten im Sinne des Anschaffungspreises zählt.

---

[38] Vgl. https://www.haufe.de/finance/finance-office-professional/anschaffungskosten-nach-hgb-und-estg-3-anschaffungspreis_idesk_PI11525_HI1157115.html

Für Altbauten gelten bei der Vermietung zu Wohnzwecken die folgenden Abschreibungssätze nach § 7 Absatz 4 Satz 2 EStG: Im Falle einer Errichtung des Gebäudes nach dem 31. Dezember 1924 2 % pro Jahr, bei einer Errichtung vor dem 1. Januar 1925 2,5 % jährlich. Gemeint sind immer die Anschaffungs- und Herstellungskosten. Die Dauer der Abschreibung ist bei der Abschreibung mit 2 % jährlich auf 50 Jahre ausgelegt, bei der Abschreibung mit 2,5 % jährlich beträgt sie 40 Jahre (vgl. § 7 Absatz 4 Satz 1-4[39]). Da dieses Gesetz von Gebäuden handelt, sind die Grundstückskosten von der Rechnung ausgeschlossen. Diese werden anhand einer Bodenrichtwert-Tabelle von den Anschaffungskosten subtrahiert.

Wird eine bereits gebrauchte Eigentumswohnung gekauft, so wird diese in der Regel mit bereits vorhandenen Instandhaltungsrücklagen erworben. Die Instandhaltungsrücklage zählt nicht zum Anschaffungspreis, weswegen er vom Anschaffungspreis abzuziehen ist (vgl. § 7 Absatz 1 Satz 5 EstG[40]). Worum es sich bei einer Instandhaltungsrücklage handelt, wird im weiteren Verlauf erläutert.

Beispielrechnung Nr. 1
Gehen wir davon aus, dass eine Immobilie aus dem Jahr 1940 für 98.000 € zum Verkauf steht. Sie wird gekauft, wobei die Kaufnebenkosten abzüglich der Eintragung ins Grundbuch addiert werden müssen. Die Immobilie liegt im Bundesland Nordrhein-Westfalen. Daraus ergeben sich folgende Kaufnebenkosten:

♦ *Maklerprovision: 3,57 % = 3.498,60 €*

♦ *Grunderwerbsteuer: 6,5 % = 6.370 €*

♦ *Notarkosten: 1,5 % – 0,5 % (da Grundbucheintragung) = 1 % = 980 €*

---

[39] Vgl. https://www.haufe.de/personal/haufe-personal-office-platin/ein-kommensteuergesetz-7-absetzung-fuer-abnutzung-oder-substanzver-ringerung_idesk_PI42323_HI43521.html
[40] Vgl. ebenda

Es resultiert daraus ein Kaufpreis von 108.848,60 €. Da hier jedoch der Grundstückswert mit einbezogen wird, muss dieser anhand der Bodenrichtwerttabelle subtrahiert werden. Es ergibt sich ein Anschaffungspreis fürs Gebäude, der 92.000 € beträgt. Da die Immobilie nach dem 31. Dezember 1924 erworben wurde, wird sie über einen Zeitraum von 50 Jahren mit 2 % jährlich und linear abgeschrieben. Um die jährliche Abschreibungsrate zu ermitteln, wird der gesamte Anschaffungspreis mit dem Faktor 0,02 multipliziert, da dies 2 % entspricht. Somit liegt der jährliche Abschreibungsbetrag bei 1.840 €.

Beispielrechnung Nr. 2

Nun wird eine Immobilie selten am 1. Januar eines Jahres gekauft, weswegen im ersten Jahr lediglich der verbliebene Anteil für das Kalenderjahr abgeschrieben wird. Gehen wir hierzu von den verbliebenen Tagen des Jahres seit dem Kauf aus: Diese stellen einen Restwert dar, dessen prozentualer Anteil an den 2 % ausgemacht werden muss. Nehmen wir an, dass der Kauf am 25. Oktober stattfindet. Ab dem 25. Oktober – diesen Tag mit einberechnet – verbleiben im Jahr noch 68 Tage. 68 Tage haben an den 365 Tagen einen Anteil von knapp 19 %. 19 % von 2 % sind 0,38 %. Daraus folgt:

- ♦ *Im ersten Jahr der Abschreibung werden 0,38 % der Gebäudekosten abgeschrieben.*

- ♦ *Ab dem zweiten Jahr bis zum einschließlich vorletzten wird linear mit 2 % abgeschrieben.*

- ♦ *Im letzten Abschreibungsjahr werden die bis zu 2 % – nach 0,38 % im ersten Jahr – verbliebenen 1,62 % abgeschrieben.*

Hinweis!

Diese rechnerische Vorgehensweise gilt für alle Arten der Abschreibungen. Als wichtige Eckpunkte für die Durchführung gilt es, zunächst den Immobilienwert samt Kaufnebenkosten mit Ausnahme der Grundbucheintragung zu nehmen und den Bodenwert nach Bodenrichtwerttabelle vom Kaufpreis zu subtrahieren. Daraufhin wird nach dem vorgeschriebenen AfA-Modell – je nach Art und Baujahr des Gebäudes variierend – das Gebäude über die Nutzungsdauer linear abgeschrieben. Nur im ersten und im letzten Jahr gilt es, die

Abschreibung prozentual so anzupassen, dass nur der Anteil des Jahres abgeschrieben wird, in dem die Immobilie schon im eigenen Besitz bzw. noch abschreibbar ist. In Sonderfällen muss bei einer gebrauchten Wohnung ganz am Anfang vom Anschaffungspreis eine eventuell gebildete Instandhaltungsrücklage abgezogen werden. Diese erfährt man als Käufer vom Vermieter und subtrahiert diese vom Anschaffungspreis, bevor abgeschrieben wird.

Neben Altbauten fließen Neubauten in die Gesetzeslage mit ein. Da diese nach dem 31. Dezember 1924 errichtet wurden, gilt mit 2 % jährlich auf einen Zeitraum von 50 Jahren dieselbe Regelung wie zuvor geschildert. Für Neubauten, die in bestimmten Zeiträumen erworben wurden, gilt die degressive AfA mit anderen Sätzen. Im Falle eines Bauantrags oder dem Erwerb des Neubaus nach dem 31.12.2003 gelten folgende Sätze:

Bauantrag oder Erwerb des Neubaus nach dem 31.12.2003	Erste 10 Jahre 4 % Nächste 8 Jahre 2,5 %	Letzte 32 Jahre 1,25 %

Abweichend von der Vermietung gibt es eine Sonder-Afa für den Neubau von Mietwohnungen in einem bereits existierenden Wohngebäude. Diese soll hier nicht weiter thematisiert werden, da sie bereits den aktiven baulichen Aktivitäten zuzuordnen ist.

Des Weiteren weist die AfA denkmalgeschützter Immobilien Abweichungen von den bisherigen Regelungen auf. In § 7i EStG[41] ist festgelegt, dass neben der linearen jährlichen Abschreibung in den ersten sieben Jahren je 9 % jährlich und in den ersten vier Jahren je 7 % jährlich zusätzlich für Herstellungskosten abgeschrieben werden können. Unter die Herstellungskosten fallen „Baumaßnahmen, die nach Art und Umfang zur Erhaltung des Gebäudes als Baudenkmal oder zu seiner sinnvollen Nutzung erforderlich sind"[42].

---

[41] Vgl. https://www.gesetze-im-internet.de/estg/__7i.html
[42] Vgl. https://www.gesetze-im-internet.de/estg/__7i.html

Kreditzinsen

Ein in der Bilanz auftauchender Faktor sind die Zinsen, mit denen der Kredit der Bank zurückgezahlt wird und die Kosten der Bank für die Kreditvergabe beglichen werden. Es lassen sich allerdings nur die effektiven Jahreszinsen als Werbungskosten in der Einkommensteuererklärung geltend machen. § 9 Absatz 1 Satz 3 EStG[43] erwähnt in diesem Zusammenhang die „Schuldzinsen". Da unter Schuldzinsen lediglich die Zinsen zu verstehen sind, die die Bank als Gebühr für die Kreditvergabe erhebt, sind die Tilgungsraten aus dieser Regelung ausgeschlossen. Denn die Tilgungsraten sind die Kreditsumme, also der Wert der Immobilie. Diese werden allerdings auf indirektem Wege zum Teil von der Steuer abgesetzt; nämlich durch die AfA. Um für ein besseres Verständnis zu veranschaulichen:

♦ Der Effektivzins wird unter den Werbungskosten steuerlich abgesetzt.

♦ Es verbleibt die Tilgungsrate, die die gesamte Kreditsumme umfasst.

♦ Die Tilgungsrate an sich kann steuerlich nicht abgesetzt werden, sehr wohl kann aber – im Falle einer Vermietung – der Anschaffungs- bzw. Herstellungspreis der Immobilie ohne die Kosten des Grundstücks abgeschrieben und somit steuerlich abgesetzt werden.

♦ Da der Gebäudepreis abzüglich des Grundstückspreises der Tilgungssumme abzüglich des Grundstückspreises entspricht (Annahme: Die Immobilie wird komplett ohne Eigenkapital finanziert), wird auf diesem Wege die Tilgungsrate doch abgesetzt.

---

[43] Vgl. https://www.haufe.de/personal/haufe-personal-office-platin/einkommensteuergesetz-9-werbungskosten_idesk_PI42323_HI43534.html

Beispielrechnung Nr. 1

Ein Kredit über 125.000 €, der zur Finanzierung einer Immobilie vergeben wurde, wird über einen Zeitraum von 35 Jahren getilgt. Die Tilgung – da sie steuerlich nicht abgezogen wird – sei an dieser Stelle außen vor gelassen. Dennoch spielt sie insofern eine Rolle, als sie durch ihre Dauer den Zeitraum vorgibt, in welchem die Schuldzinsen – also die effektiven Jahreszinsen – gezahlt werden müssen. Gehen wir von einem effektiven Jahreszins von 2,2 % aus. Die jährliche Abschreibungsrate variiert dabei mit dem Restbetrag. Im ersten Jahr ist der Jahreszins auf die volle Kreditsumme zu zahlen. In dem Fall also 125.000 x 0,022 = 2.750 €. Wurde nach dem ersten Jahr die Tilgung von ungefähr 3.571 € gezahlt, verbleiben von den 125.000 € noch 121.429 €. Diese 121.429 € werden mit 0,022 multipliziert, sodass sich für das zweite Jahr ca. 2.671 € an Zinsen ergeben. Letzten Endes sind die Schuldzinsen, die mit jedem Jahr analog zur verbleibenden Tilgung geringer werden, bei Vermietern steuerlich in vollem Umfang als Schuldzinsen abzugsfähig.

Beispielrechnung Nr. 2

Ein Kredit über 172.800 €, der zur Finanzierung einer Immobilie vergeben wurde, wird über einen Zeitraum von 40 Jahren getilgt. Auf das Jahr gerechnet ergeben sich für die Tilgung 172.800 : 40, also 4.320 €. Da monatlich gezahlt wird, muss man diesen Betrag durch die 12 Monate eines Jahres teilen, um die monatliche Zahlung zu erhalten. Diese liegt demnach bei 360 €. Diese Tilgung kann nicht steuerlich geltend gemacht werden. An dieser Stelle wird allerdings die Rolle der AfA illustriert: Denn die Kreditsumme finanziert das Gebäude und das Grundstück. Die Kaufnebenkosten werden selbst aufgebracht. Durch die AfA lassen sich – abzüglich des Bodenrichtwertes, aber dafür inklusive der Kaufnebenkosten mit Ausnahme der Grundbucheintragung – die Kosten geltend machen. Dies bedeutet, dass über den Zeitraum der Abschreibung ein erheblicher Teil der Tilgung abgeschrieben wird. Somit kommt es dazu, dass der Kauf des Gebäudes steuerlich abgesetzt wird. Dies ist ein erheblicher Vorteil der Vermietung gegenüber einer Eigennutzung.

Maßnahmen für Sanierung, Modernisierung oder Renovierung

Sanierung, Modernisierung und Renovierung werden zum Teil synonym verwendet, weisen jedoch erhebliche Unterschiede untereinander auf. In der Steuererklärung spielt dies keine Rolle, da sie allesamt im vollem Umfang absetzbar sind. Wie sie absetzbar sind, variiert allerdings stark: Während in einigen Fällen erneut die AfA greift, diesmal die neue Art *AfA für Modernisierungen*, sind in anderen Fällen die Aufwendungen als Werbungskosten steuerlich auf einen Schlag absetzbar. Mögliche Zuordnungen zu Kosten sind die Folgenden:

- ◆ Anschaffungskosten
- ◆ Herstellungskosten
- ◆ Erhaltungsaufwendungen
- ◆ Anschaffungsnahe Aufwendungen

Anschaffungskosten

Als Anschaffungskosten wurden bereits der Kaufpreis für das Gebäude sowie die Kaufnebenkosten (abzüglich der Eintragung ins Grundbuch) erkannt. Sollten die Maßnahmen der Sanierung, Modernisierung oder Renovierung dazu dienen, das Gebäude betriebsbereit zu machen oder dessen Standard anzuheben, werden sie den Anschaffungskosten zugerechnet und können ausschließlich nach dem jeweiligen aufs Gebäude anwendbaren AfA-Modell abgeschrieben werden.

Als Maßnahmen zur Herstellung der Betriebsbereitschaft werden nach § 255 Absatz 1 HGB[44] alle Maßnahmen gewertet, die der Herstellung der eigentlichen Nutzungsbestimmung dienen, wie z. B. Elektroinstallation oder Beseitigung von Bodenschäden. Der

---

[44] Vgl. https://www.haufe.de/finance/finance-office-professional/
handelsgesetzbuch-255-bewertungsmassstaebe_idesk_PI11525_
HI2166681.html

Standard des Gebäudes wird wiederum dann angehoben, wenn an dreien der folgenden vier Bereiche Änderungen durchgeführt werden:

♦ Heizungsinstallation

♦ Sanitärinstallation

♦ Elektroinstallation

♦ Fenster

Alternativ ordnet das Finanzamt die Maßnahmen ebenfalls dann den Anschaffungskosten zu, wenn nur an zwei der genannten Bereiche Änderungen durchgeführt werden, aber zugleich auch das Gebäude um weiteren Wohnraum erweitert wird.

Herstellungskosten

Die Herstellungskosten sind im Prinzip synonym zu den Anschaffungskosten zu bewerten. Es bedarf allerdings einer separaten gesetzlichen Bezeichnung, da sich die Anschaffungskosten stets auf den Kauf einer bereits bestehenden Immobilie beziehen und die Herstellungskosten auf die Errichtung einer neuen Immobilie oder deren Erweiterung. Bei einer Zuordnung zu den Herstellungskosten sind die Maßnahmen zu Sanierung, Modernisierung und Renovierung ebenfalls ausschließlich über die gebäudespezifische AfA über einen bestimmten Zeitraum abzuschreiben.

Erhaltungsaufwendungen

Sämtliche Aufwendungen, die „zur Erwerbung, Sicherung und Erhaltung der Einnahmen" dienen, sind als Werbungskosten steuerlich in einem Betrag absetzbar (vgl. § 9 Absatz 1 EstG[45]). Alter-

---

[45] Vgl. https://www.haufe.de/personal/haufe-personal-office-platin/ein-kommensteuergesetz-9-werbungskosten_idesk_PI42323_HI43534.html

nativ erlaubt es § 82b EStDV[46], die Kosten über einen Zeitraum von zwei bis fünf Jahren verteilt steuerlich geltend zu machen. In diese Kategorie fallen nur Sanierungsmaßnahmen, da ausschließlich diese der Instandhaltung bzw. Instandsetzung von Gebäuden dienen.

Anschaffungsnahe Aufwendungen

Die anschaffungsnahen Aufwendungen werden von Vermietern oft als die Steuerfalle der Sanierungen bezeichnet. Der § 6 EStG[47] sieht vor, dass alle Arbeiten aus den Sparten Sanierung, Renovierung und Modernisierung, die im Zeitraum von drei Jahren nach dem Kauf oder dem Bau einer Immobilie stattfinden und 15 % des Kaufpreises (ohne Mehrwertsteuer) überschreiten, als anschaffungsnahe Aufwendungen gemäß dem fürs Gebäude vorgesehenen AfA-Modell abgeschrieben werden. Als Steuerfalle bezeichnen die Immobilieneigentümer dieses Konstrukt, da nach dem Kauf oder Bau einer Immobilie aus unvorhersehbaren Gründen plötzliche Mängel oder Schäden auftreten können, die hohe Investitionen erfordern. Sind diese nur über die Nutzungszeit abschreibbar, steht hohen Ausgaben eine nur langfristige und kleinschrittige steuerliche Abzugsfähigkeit gegenüber.

Verwaltung, Versicherungen und Instandhaltungsrücklagen

Die Verwaltungskosten sind als Werbungskosten in vollem Umfang steuerlich absetzbar. Zahlt der Vermieter allein die gesamten Verwaltungskosten, so betrifft die steuerliche Absetzbarkeit den gesamten Betrag für das Gebäude. Bei einer Vermietung im Rahmen einer Wohnungseigentümergemeinschaft sind die Verwaltungskosten

---

[46] Vgl. https://www.haufe.de/personal/haufe-personal-office-platin/ einkommensteuer-durchfuehrungsverordnung-82b-behandlung-gro-esseren-erhaltungsaufwands-bei-wohngebaeuden_idesk_PI42323_ HI1278142.html

[47] Vgl. https://www.haufe.de/personal/haufe-personal-office-platin/ein-kommensteuergesetz-6-bewertung_idesk_PI42323_HI43516.html

anteilig mit dem Anteil der eigenen Wohnung am gesamten Gebäude absetzbar. Hierzu existiert unter „Weitere Werbungskosten" in Zeile 47 der Anlage V in der Steuererklärung ein entsprechendes Feld. Die Verwaltungskosten lassen sich auch beim Leerstand der Mietwohnung absetzen, sofern nachgewiesen werden kann, dass eine Mietersuche stattfindet und der Vermieter mit der Immobilie Gewinnerzielungsabsichten verfolgt.

Unter den Versicherungen variiert die Absetzbarkeit mit der jeweiligen Versicherung. Grundsätzlich ist alles, was als Versicherung das Gebäude betrifft, unter den Betriebskosten steuerlich in vollem Umfang absetzbar, wie z. B. folgende Versicherungen[48]:

- Wohngebäudeversicherung
- Elementarschadenversicherung
- Gebäude- bzw. Haus- und Grundbesitzerhaftpflichtversicherung
- Glasbruchversicherung
- Öltankversicherung
- Aufzugversicherung

Alles, was den persönlichen Schutz des Vermieters anbelangt, ist jedoch steuerlich nicht absetzbar. Dazu gehören beispielsweise die Mietausfall- sowie Rechtsschutzversicherung.

Hinweis!

Alles in allem ist der Bezug auf das Gebäude und auf die Sicherung der Mieteinnahmen entscheidend. Ist dies gewährleistet, sind selbst die speziellsten Versicherungen, wie beispielsweise die Versicherung der eigenen Photovoltaikanlage, unter den Betriebskosten steuerlich absetzbar.

---

[48] Vgl. https://www.makler-vergleich.de/immobilien-vermieten/immobilien-vermieten-tipps/vermietung-versicherung.html#2.1

Die Instandhaltungsrücklage wiederum ist steuerlich nur dann absetzbar, wenn sie tatsächlich geltend gemacht wird. Hier sind in der Steuererklärung drei Posten relevant, die allesamt aufzuführen sind:

- Instandhaltungskosten laut Verwalterabrechnung
- Entnahme aus Rücklage laut Verwalterabrechnung
- Abzugsfähige Instandhaltungskosten insgesamt

Die ersten beiden Posten werden zusammenaddiert und ergeben den dritten Posten, der steuerlich am Ende des Jahres samt Rechnung in der Einkommenssteuererklärung unter den Werbungskosten aufzuführen ist.

Der erste Posten meint die Instandhaltungsrücklagen laut Verwalterabrechnung; es sind die Kosten, die der Verwalter zunächst aus eigener Tasche bezahlt und dem Vermieter daraufhin in Rechnung stellt. Diese Kosten beziehen sich jedoch stets auf das Gemeinschaftseigentum im Falle einer Wohnungseigentümergemeinschaft.

Der zweite Posten sieht die tatsächlichen Entnahmen des Verwalters aus den Instandhaltungsrücklagen des Vermieters vor, die er dem Verwalter aus seiner Instandhaltungsrücklage zukommen lässt.

Rechnet man diese beiden Posten nun durch Addition zusammen, erhält man die steuerlich absetzbare Summe unter den Werbungskosten. Doch damit ist die Instandhaltungsrücklage steuerlich nicht abgehandelt. Denn es fallen Zinserträge an. Weil der Verwalter die Instandhaltungsrücklagen zu festen Zinssätzen bei der Bank anlegt, generieren Vermieter durch die Zinseinnahmen Einkünfte aus Kapitalvermögen. Dies lässt einerseits die Rücklagen anwachsen, sorgt andererseits zugleich für die Pflicht zur Versteuerung. Vermieter geben also die in der Verwalterabrechnung aufgeführten Zinserträge in der Steuererklärung als Einkünfte aus Kapitalvermögen an. Die Zinsabschlagsteuer beträgt 30 % und der

Solidaritätszuschlag fällt an. Daraus ergibt sich das Einkommen nach Steuern durch die Zinserträge, welches in der Instandhaltungsrücklage verbleibt. Sollten die Einkünfte aus dem gesamten Kapitalvermögen, welches Vermieter aufweisen, unter dem Freibetrag von 1.601 € für Alleinstehende bzw. 3.202 € für Verheiratete liegen, erfolgt eine Auszahlung der auf die Zinserträge gezahlten Abschlagsteuer und des Solidaritätszuschlags.

Zusammenfassung: Die Steuererklärung erfordert einfachste Rechenarbeit!

Eine Steuererklärung ist bei Immobilien zur Kapitalanlage kein Buch mit sieben Siegeln. Da es an klaren und transparenten Einleitungen weitestgehend mangelt, hat dieses Kapitel präzise erklärt, unter welchen Punkten in der Steuererklärung die jeweiligen Einkünfte und Ausgaben anzugeben sind. Wie sich die Posten berechnen lassen, war Teil der Beispielrechnungen. Dabei wurde deutlich, dass Rechenoperatoren notwendig sind, die bereits Teil des Mathematikunterrichts in der ersten und zweiten Klasse waren. Somit ist mit diesem Kapitel eine Steuererklärung im Hinblick auf die Vermietung von jedem Leser durchführbar. Dies erspart unter Umständen die zusätzlichen Kosten für einen Steuerberater und verschafft mehr Zuversicht auf dem Weg zur ersten vermieteten Immobilie.

Immobilienauswahl

Die Lage der Immobilie ist das A und O für eine erfolgreiche Kapitalanlage. Während bei einem Kauf zur Eigennutzung der Grundriss der Wohnung, ein Balkon, möglichst hohe Decken und zahlreiche andere Kriterien von Interesse sind, ist all dies bei einer Immobilie zur Kapitalanlage fast komplett irrelevant. Denn die Annahme ist: Es findet sich in einer vielversprechenden Lage aufgrund der hohen Nachfrage immer ein Mieter; egal, wie die Wohnung oder das Haus konzipiert sind und welchen Grundriss sie aufweisen. Dieses Kapitel führt daher in die Immobilienauswahl anhand der lagerelevanten Faktoren ein. Genauere Berechnungen werden – dafür sei um Verständnis gebeten – aufgrund der Detailtiefe in meinem Buch „Immobilien kaufen, vermieten und Geld verdienen" thematisiert.

Lage

Eine Immobilie als Kapitalanlage folgt bei der Auswahl anderen Kriterien als eine Immobilie zur Eigennutzung. Während bei der Eigennutzung subjektive Aspekte im Vordergrund stehen, dominieren bei einem Investment Verkaufskriterien. So spielt das Vorhandensein des Balkons ebenso wenig eine Rolle wie der Grundriss der Zimmer oder die Frage, ob das Wohnzimmer einen fließenden Übergang zur Küche aufweist. Was nach eigenen Maßstäben schlecht für eine Wohnung ist, wird einem der potenziellen Interessenten egal sein oder von diesem gar gut gefunden werden. Die Leitfrage bei der Auswahl der Immobilie muss sein: Finde ich für diese Wohnung an diesem Ort zu diesem Preis einen Mieter?

Die Wohnung selbst ist dabei nie ein Problem, sofern sie in einem abnahmefähigen Zustand ist. Der Preis wiederum wird durch die Nachfrage und das Angebot reguliert. Der Kernaspekt bei der Auswahl der Immobilie ist der jeweilige Ort, also die Lage.

Mikro, Meso und Makro: Alle Aspekte mit einbeziehen

Bei einer Bewertung der Immobilienlage wird von den folgenden drei Teilgebieten gesprochen:

- ♦ Mikro-Lage: Unmittelbare Umgebung (Straße/Stadtteil)
- ♦ Makro-Lage: Über die unmittelbare Umgebung hinausgehend (Gesamte Stadt)
- ♦ Meso-Lage: Alles, was das Miteinander von Mikro- und Makro-Lage betrifft

Tatsächlich sind keine klaren Grenzen zwischen den einzelnen Teilgebieten zu ziehen. So ist es möglich, vereinzelte Aspekte sogar allen drei Teilgebieten zuzuordnen. Dementsprechend sind Wiederholungen einzelner Faktoren in den folgenden Ausführungen keine Fehler, sondern den Zusammenhängen zwischen Mikro-, Meso- und Makro-Lage geschuldet.

Mikro-Lage: Wie ist die Aussicht?

Die Mikro-Lage ist die unmittelbare Umgebung der Immobilie, wobei entweder von der Straße oder vom Stadtteil gesprochen werden kann. Ob es die Straße oder der Stadtteil ist, hängt im Wesentlichen von der Argumentation des Maklers ab: Handelt es sich um einen hübschen und angesehenen Stadtteil, wird der Makler dies gegenüber dem Interessenten einer Immobilie betonen. Sollte der gesamte Stadtteil wenig ansehnlich, aber die Straße neu asphaltiert sein und eine Grünanlage aufweisen, ist davon auszugehen, dass der Makler das gesamte Verkaufsgespräch auf die Straße ausrichten wird. Gleiches Verhalten wird beim Käufer und anschließenden Vermieter vorherrschen: Um die Immobilie zum bestmöglichen Preis an einen Mieter zu bringen, wird die Mikro-Lage so weit oder eng aufgefasst, wie es nützlich erscheint, um sie als attraktiv zu verkaufen.

Hinweis!

An dieser Stelle sind Käufer dazu angehalten, sich nicht von den Exposees und dem Maklergespräch beeindrucken bzw. blenden zu lassen. Idealerweise liegt die Immobilie zumindest in einer attraktiven Umgebung, die mehr als nur eine Straße umfasst. So hat die Immobilie die Aussicht, an Wertsteigerung und Attraktivität zu gewinnen, was den Zuzug weiterer Investoren wahrscheinlicher macht und die Perspektiven für eine Aufwertung der gesamten Umgebung erhöht.

Was definitiv zur Mikro-Lage gehört, ist das Gebäude an sich. Dabei kommt es für den ersten Eindruck auf die Außenfassade an. Sollten hier Putz und Farbe bröckeln, ist das bereits ein erstes Anzeichen für erforderliche Investitionen, um die Immobilie für den Mieter attraktiv aufzubereiten. Das Treppenhaus wiederum ist sekundär wichtig. Sollte dieses durch Treppenlifte oder Fahrstühle behindertengerecht sein, ist dies ein Verkaufsargument, welches zudem die Zielgruppe an möglichen Mietern erhöht. Darüber hinaus ist es von Vorteil, ein Treppenhaus mit möglichst hoher Treppenbreite zu haben, damit die Mieter ihren Umzug samt Möbeln ohne Hinderungen durchführen können.

Sollten in der Umgebung der Immobilie Grünanlagen, Seen, Flüsse oder andere Sehenswürdigkeiten sein, ist dies ein Vorteil. Ein noch größerer Vorteil ist es, wenn diese Sehenswürdigkeiten aus dem Fenster einer Immobilie heraus direkt sichtbar sind. Dadurch steigen die Vermarktungsaussichten der Immobilie. In diesem Sinne muss es nicht zwingend ein Nachteil sein, wenn eine kleine Wohnung in der Stadt im siebten Stockwerk gelegen ist: Wird dies als Panorama-Appartement mit Balkon beworben, sind Mieter und Abnehmer für die Wohnung einfacher zu finden.

Die Mikro-Lage ist schlussendlich das, was sich direkt in der Umgebung und im Gebäude selbst befindet. Zugleich ist die Mikro-Lage jedoch auch, was der Kapitalanleger daraus macht. Wird die Immobilie zur Renovierung und zum Wiederverkauf oder zur direkten Vermietung gekauft, so hilft eine Argumentation, die die Vorteile der Immobilie aus Sicht eines Mieters hervorhebt, dabei, die Defizite der Immobilie zu kaschieren. Schlussendlich ist bei einem Investment dennoch darauf zu achten, dass die Immobilie bereits von sich aus – auch ohne eine überzeugende Argumentation – im Hinblick auf die Mikro-Lage Vorteile mit sich bringt.

Makro-Lage: Wie macht sich die Stadt?

Die Makro-Lage meint in der Regel die Stadt; zudem kann die Region oder das Bundesland in die Betrachtung einbezogen werden. Angesichts des im Vergleich zur Mikro-Lage größeren Raumes gibt es einen größerer Umfang an Faktoren für die Evaluierung:

- Fernverkehr: z. B. Autobahn, Hauptbahnhof, Zentraler Omnibus-Bahnhof (ZOB), Flughafen
- Bildungseinrichtungen: z. B. Schule, Universität, Volkshochschule
- Großunternehmen: z. B. Airbus, Nestlé, BLG, Daimler, Volksbank
- Grünanlagen: z. B. Park, Promenade, öffentlicher Garten
- Freizeitmöglichkeiten: z. B. Verein, Casino, Tanzschule, Musikschule, Fitnessstudio, Kino

Bei Großstädten sind diese Aspekte abgedeckt, allerdings ist die Frage nach deren Erreichbarkeit eine zentrale Größe bei der Bewertung der Makro-Lage. Wenn beispielsweise nur ein einziger großer Park vorhanden ist und dieser mit den öffentlichen Verkehrsmitteln nicht erreichbar ist, wäre dies eines unter mehreren möglichen Defiziten der Makro-Umgebung einer Immobilie. Dabei ist die Anbindung zu jedweder Tageszeit relevant: Ein geeignetes Beispiel ist die Großstadt Bremen, die zwar über all die erwähnten Aspekte in einer Vielzahl verfügt, aber nachts von Montag bis Freitag nur einen mangelhaften öffentlichen Nahverkehr bietet. Dies bedeutet, dass Bewohner an vier Nächten in der Woche Probleme haben, von einem Ort an den anderen zu gelangen. Dieses Problem ist bereits vereinzelt in der Innenstadt gegeben, wird aber in den Randregionen Süd, West, Ost und Nord noch größer.

Die Makro-Lage ist beim Kauf ein Kriterium, welches in Hinblick auf ansässige Großunternehmen sogar bestimmt, wie viel Potenzial für zahlungskräftige Mieter aktuell und in naher Zukunft gegeben ist. Eine gute Makro-Lage begünstigt auch lange Mietzeiten. Denn je eher die Makro-Lage – oder sogar bereits die Mikro-Lage – ein großes Angebot samt guter Anbindung mit sich bringt, umso komfortabler und abwechslungsreicher ist das Dasein für den Mieter.

Hinweis!

Kapitalanleger sind bei ihrer Immobilienauswahl gut damit beraten, eine Immobilie möglichst nah am Stadtkern zu erwerben. Entsprechende Immobilien haben in der Vergangenheit die größten Mieterträge und den größten Wertzuwachs verzeichnet. Ein Investment in die Stadtumgebung ist in den Großstädten Berlin, Hamburg, München, Frankfurt am Main, Düsseldorf, Stuttgart und Hannover jedoch ebenso empfehlenswert. Hier lässt sich der Trend feststellen, dass Einwohner aufgrund der hohen Mieten in den Städten ins Umland ziehen. Im Umland steht also in ausgewählten Städten sehr wahrscheinlich ein Wachstum bevor. Mehr dazu in meinem Buch „Immobilien kaufen, vermieten und Geld verdienen".

Meso-Lage: Wie interagieren Mikro und Makro miteinander?

In der Meso-Lage wiederholen sich Aspekte, die bereits in der Mikro- und Makro-Lage eine Relevanz hatten. Dazu gehören Bildungseinrichtungen, Freizeitmöglichkeiten und Grünanlagen. Im Grunde genommen handelt es sich um eine Kopie der Makro-Lage; nur mit geringeren Anforderungen. Um dies mit einem Beispiel zu veranschaulichen:

Es wird eine Wohnung am äußersten Rand der Stadt gemietet. Zwischen der Wohnung und dem Stadtkern liegen 30 Minuten Fahrzeit mit der Bahn. Sofern diese Distanz ohne Umstieg bewältigt werden kann, ist bereits ein Plus gegeben und man kann von einer guten Verkehrsanbindung an das Stadtzentrum sprechen.

Was auf diesen 30 Minuten Fahrzeit außerdem ins Gewicht fällt, ist, inwiefern sich bereits auf kürzerer Strecke Freizeitmöglichkeiten, Bildungseinrichtungen und weitere Anlaufstellen befinden. Sollte sich beispielsweise nicht nur im 30 Minuten entfernten Zentrum ein Kino befinden, sondern auch in zehn Minuten Entfernung von der Wohnung, ist dies ein Vorzug, der der Meso-Lage zuzuordnen ist.

Die Meso-Lage betrifft das Miteinander der Mikro- und Makro-Lage. Zum einen ist relevant, wie sie durch öffentliche Verkehrsmittel und eine gut ausgebaute Infrastruktur beide miteinander verbindet, zum anderen, ob sie idealerweise selbst ein adäquates Angebot an Supermärkten, Einrichtungen und weiteren Elementen zur Verfügung stellt, sodass sich der Ausflug in den Stadtkern mit anderen Aktivitäten verknüpfen lässt oder der Stadtkern nicht mal besucht werden muss.

Hinweis!

Sofern bei der Vermietung oder dem Verkauf einer Immobilie mit der Erreichbarkeit einzelner Destinationen durch öffentliche Verkehrsmittel, Autos, Fahrräder oder auf dem Fußweg argumentiert wird, ist es ratsam, nie die Entfernung zu nennen. Stattdessen ermöglicht die Angabe einer Zeitschätzung dem Interessenten eine konkretere Vorstellung davon, wie gut die Anbindung seiner Ansicht nach ist, z. B.: „Sie erreichen das Stadtzentrum mit dem Auto in 20 Minuten Fahrzeit."

Im Idealfall beginnt bei einem Gespräch mit einem Interessenten das Gespräch mit der Erörterung der Mikro-Lage, geht dann zur Makro-Lage über und mündet in der Meso-Lage, die illustriert, dass die Fahrt ins Zentrum oft nicht mal notwendig ist. So wird der Eindruck einer komfortablen Gesamtlage erzeugt. Den Optimalfall stellt dabei eine Immobilie direkt im Stadtkern dar: Die Suche nach einem zahlungskräftigen Mieter oder Käufer ist dahingehend vereinfacht, dass die drei Lagen miteinander verschmelzen und sich die Einrichtungen, Anlagen und Verkehrsmittel bereits in unmittelbarer Nähe zur Immobilie befinden. Dies sind Kriterien, unter denen sich Immobilien im Großteil aller Fälle am einfachsten vermarkten lassen.

Die Relevanz von Entwicklungen und Prognosen

Da eine Kapitalanlage in Immobilien ein langfristiges Investment ist, zählt bei der Auswahl neben der aktuellen Bestandsaufnahme ebenso die vermutliche Entwicklung. Dementsprechend ist jede Mikro-, Meso- und Makro-Lage einer Prognose zu unterziehen. Was neben der bloßen Lage und dem Angebot einer Immobilie in der aktuellen Situation relevant ist und eine umso größere Wirkung auf die Entwicklung hat, sind die folgenden Faktoren:

♦ Kriminalitätsrate

♦ Bevölkerungsentwicklung

♦ Einkommensstruktur

♦ Arbeitslosenquote

♦ Regionale oder überregionale Bauprojekte

♦ Kaufpreisentwicklung

Eine hohe Kriminalitätsrate spricht sich rum. Auch wenn ein potenzieller Mieter sich nicht mit jedem Stadtteil Deutschlands auskennt, so ist davon auszugehen, dass er bei der Eingrenzung der Objekte zur Besichtigung eine der Internet-Suchmaschinen zur jeweiligen Straße und zum jeweiligen Stadtteil befragen wird. Stößt er dort auf Berichte über eine hohe Kriminalitätsrate, wird er abgeschreckt werden. Dies bedeutet im Umkehrschluss allerdings nicht zwingend, dass eine Immobilie in einem Stadtteil mit einer hohen Kriminalitätsrate eine schlechte Kapitalanlage ist … Dazu später mehr.

Die Bevölkerungsentwicklung gewährt Aufschluss darüber, wie das Klientel ausfällt: Wird es eine Studentenumgebung oder werden hier vermehrt Personen ihren Ruhestand verbringen? Des Weiteren informiert die Bevölkerungsentwicklung, inwiefern mit einem

Zustrom an Personen zu rechnen ist. Dies reguliert die Nachfrage nach Immobilien, welche den Mietpreis definiert.

Mit der Einkommensstruktur und der Arbeitslosenquote sichern sich Anleger dahingehend ab, dass in der Umgebung zahlungskräftige Käufer bzw. Mieter für die Immobilie gegeben sind. Dabei sagt die Einkommensstruktur darüber hinaus auch aus, in welcher Größenklasse die Interessenten operieren – je höher der Verdienst, umso wahrscheinlicher ein zuverlässiger und zahlungskräftiger Abnehmer oder Mieter für die Immobilie.

Regionale oder überregionale Bauprojekte können Mehrwerte verschiedenster Art aufbringen: Entweder werten sie ganze Stadtteile oder sogar die nahe Umgebung vor der Haustür auf, oder aber sie schaffen wirtschaftliche Anreize, woraufhin sich Unternehmen niederlassen, Arbeitsplätze entstehen und neue Arbeitnehmer zuziehen. Die Bauprojekte werden in der Regel durch den Staat oder Investoren initiiert. Insbesondere Großprojekte wie Einkaufscenter, Hotelanlagen und Fabriken verschaffen neue Perspektiven.

Die Kaufpreisentwicklung verschafft einerseits einen Eindruck davon, mit welchem Wertanstieg für die eigene Immobilie zu rechnen ist. Andererseits ermöglicht die Entwicklung der Kaufpreise Rückschlüsse auf das Engagement anderer Investoren, welches dahingehend zu begrüßen ist, dass dieses zur Aufwertung der Umgebung beitragen kann.

Beispiel anhand einer Immobilie in Essen

Gehen wir von einer Immobilie in dem nordöstlichen Stadtteil Katernberg in der deutschen Stadt Essen aus und platzieren diese in der Hanielstraße.

Die Immobilie an sich weist eine ansprechende Fassade auf und ist eine modernisierte Altbauwohnung: Hohe Wände und große Fenster, die die Wohnung mit Licht durchfluten, sprechen für die Immobilie. Darüber hinaus gibt es auf der gegenüberliegenden

Straßenseite eine Kirche und dazugehörige Grünflächen. So viel zur Mikro-Lage aktuell.

In der Meso-Lage machen ein Unesco-Weltkulturerbe – die Zeche Zollverein Essen als einstmals größte Steinkohlezeche weltweit – und mehrere Supermärkte, Restaurants, Friseure und Werkstätten, die fußläufig problemlos in kurzer Zeit erreichbar sind, positiv auf sich aufmerksam. Mit dem Auto in kurzer Zeit erreichbar sind u. a.:

- 7 Minuten bis zur Folkwang Universität
- 7 Minuten bis zum Ruhr-Museum
- 5 Minuten bis zur Zeche Zollverein
- 3 Minuten bis zur S-Bahn-Station
- 18 Minuten bis zum Aalto-Theater
- 14 Minuten zur ZOOM Erlebniswelt Gelsenkirchen

Eine direkte Verkehrsanbindung mit 27-minütiger Fahrzeit bis zum Essener Hauptbahnhof leitet von der überzeugenden Meso-Lage zur Makro-Lage über: Dem Stadtkern Essens.

Die Stadt Essen ist eine Universitätsstadt. Mit der Forschungsuniversität Duisburg-Essen hat sie die offiziell weltweit drittbeste im neuen Jahrtausend gegründete Universität. Neben weiteren Universitäten und der Eignung für Studenten scheint Essen auch für Arbeitnehmer attraktiv zu sein. Diese Annahme resultiert daraus, dass in Essen und in den nahegelegenen Städten zahlreiche Großunternehmen, die von Tengelmann über RWE und Thyssenkrupp bis hin zu ALDI Süd, Deichmann, Evonik und weiteren reichen, ansässig sind. Der nächste Flughafen befindet sich in der 37 Kilometer entfernt gelegenen Stadt Dortmund.

Essen hat ein Auf und Ab im Bereich der Ökologie hingelegt. War die Stadt einst grün und von Natur umgeben, wandelte sie sich im 19. Jahrhundert zur größten Kohlestadt Europas. Dies hat sich im Laufe der letzten Jahrzehnte mit der Schließung der Zechen und dank dem Zukunftsprogramm IBA Emscher Park gewandelt, sodass Essen wieder in Grün erstrahlt – 2017 verlieh die EU-Kommission Essen die Auszeichnung *Grüne Stadt Europas*. Somit ist auch die Makro-Lage überzeugend.

Gehen wir nun davon aus, dass auch die Kaufpreis- und Mietentwicklung für die Immobilie sprechen würden, so entsteht mit der Betrachtung der Lage insgesamt ein starkes Gesamtbild. Als Kapitalanlage scheint sie definitiv geeignet und Mieter werden sich wohl ebenso finden lassen.

Nun hat der positive Eindruck und der aktuell geringe Kaufpreis der Immobilie seine Gründe: Zum einen mag Essen grün sein und in der Mikro-Lage mag es einige Grünflächen geben, doch die unmittelbare Umgebung der Immobilie mutet trotzdem etwas düster an. Hauptsächlich sieht man Beton und Asphalt, wenn man nicht gerade einige Minuten Fußweg hinter sich gebracht hat. Zum anderen – dies ist das weitaus größere Problem – hat der Stadtteil Katernberg, in dem die Immobilie gelegen ist, den Ruf eines Ghettos. Gibt ein Nutzer bei Google *Katernberg Essen* ein, erhält er unter anderem Vorschläge, die negative Assoziationen hervorrufen, wie *Katernberg Essen Ghetto* und *Katernberg Essen Kriminalität*.

Kinderarmut, Jugendarbeitslosigkeit und Kriminalität sind in der Tat Probleme, die neben Katernberg auch die Stadtteile Schonnebeck und Stoppenberg beschäftigen. Doch wer sich über die Entwicklung informiert, wird feststellen, dass der Stadt Essen bis 2022 618 Millionen Euro für Um- und Neubau- sowie Renovierungsmaßnahmen zur Verfügung gestellt wurden. Im Rahmen dieses Sonderinvestitionsprogramms wird allem voran in Katernberg und den angrenzenden nahen Stadtteilen operiert: Schulen sind bereits entstanden und weitere werden gebaut; Kitas, Sportstätten und Hallenbäder ebenso. Dies bedeutet, dass die Stadt die Probleme erkannt hat und bekämpft. Dementsprechend lässt sich ein positiver Wandel bemerkbar machen. Auch die Grünanlagen werden erweitert und in absehbarer Zeit regelrechte Rückzugs- und Erholungsorte darstellen. Darüber hinaus finden

Investoren gegenwärtig Gefallen an dem Stadtteil Katernberg. Die Hoffnung auf einen grundlegenden Wandel Katernbergs ist berechtigt.

Letzten Endes spiegelt sich in dem Beispiel eine Immobilie wider, die von der Gesamtlage her höchste Attraktivität ausstrahlt. Jedoch wird die aktuelle soziale Situation in den Schlagzeilen und Suchmaschinen negativ dargestellt. Vermehrte Gegenmaßnahmen der Stadt und die Investitionsbereitschaft anderer Investoren wiederum zerstreuen die aufkommenden Zweifel und legen positive Prognosen für die Entwicklung in diesen Problemzonen des Stadtteils nahe. Um eine Immobilie mit hohem Potenzial richtig einzustufen, ist also der Blick über den Tellerrand hinaus notwendig, der die zu erwartende zukünftige Entwicklung miteinbezieht.

Gentrifizierung: Ein Phänomen, das jeder fortgeschrittene Anleger kennen sollte

Der Begriff *Gentrifizierung* meint den Strukturwandel eines Stadtteils oder einer Umgebung im positiven Sinne. Vereinfacht formuliert handelt es sich um eine Aufwertung der Gegend. Mehrere Stadtteile in Berlin, wie z. B. Kreuzberg und Schöneberg, stehen symbolisch für diesen Wandel. Während der Wandel für die Mieter neben Vorteilen auch Nachteile mit sich bringt, sind Kapitalanleger absolute Nutznießer der Gentrifizierung. Denn eine Aufwertung zieht steigende Mietpreise nach sich, wertet den Kaufpreis für die Immobilie auf und führt auf lange Sicht dazu, dass die gesamte Gegend um Geschäfte, Unternehmen und ein zahlungskräftigeres Klientel bereichert wird.

Ursprung im 19. Jahrhundert

Der Ursprung des Begriffs führt ins 19. Jahrhundert zurück, als der Londoner Stadtteil Islington – damals grau und uninteressant für Oberschichten – durch die Zuwanderung des niederen Adels aufgewertet wurde. Die Aufwertung fand auf verschiedenen Ebenen statt: Zum einen wichen die Arbeiter, da der niedere Adel zahlungskräftiger war. Zum anderen wurde die Gegend durch den niederen Adel und die veränderten Vermögensverhältnisse interessanter für Geschäfte und Neumieter. So wurde aus der grauen Maus Islington ein beliebter Stadtteil – komplett gentrifiziert. Die Forscherin Ruth Glass befasste sich mit diesem Phänomen der Stadtentwicklung im Jahre 1964 und benannte es in Anlehnung an den zugewanderten niederen Adel (Gentry) Gentrifizierung. Seitdem findet der Begriff im Städtebau und der Städteplanung, in den Wirtschaftswissenschaften, in der Politik und in weiteren Gebieten Anwendung.

Wie weit kann die Gentrifizierung führen? Phasenmodell nach Diller

Das Phasenmodell von Diller (2014)[49] fasst den Verlauf der Gentrifizierung in fünf Phasen zusammen. Diese teilen sich wie folgt auf:

- ◆ 1. Phase: Invasionsphase I der Pioniere
- ◆ 2. Phase: Invasionsphase II der Pioniere und Invasionsphase I der Gentrifier
- ◆ 3. Phase: Invasionsphase II der Gentrifier
- ◆ 4. Phase: Invasionsphase III der Gentrifier
- ◆ 5. Phase: Hypergentrification

Die erste Phase sieht den Zuzug der Pioniere bzw. Vorreiter vor. Diese sorgen für Veränderungen an Wohnungen und der Umgebung. Sie läuten den Beginn einer Aufwertung ein, die jedoch fürs erste marginal bleibt und keine Auswirkungen auf den Mietspiegel hat.

In der zweiten Phase setzt sich der Zuzug der Pioniere fort, was den Stadtteil merklich aufwertet und die Runde macht: Eine Gegend strebt

---

[49] Vgl. https://www.uni-muenster.de/imperia/md/content/geographiedidaktik2/materialfuerschulen/berlin/berlin_gentrification_am_prenzlauer_berg_band_4_mit_material.pdf

auf. Wohlhabendere Personen entdecken das Potenzial und ziehen zu, was die Nachfrage, die Kaufkraft sowie die Mieten steigen lässt.

Im Rahmen der dritten Phase kommen Investoren, Baufirmen und Unternehmer auf den Plan. Dies führt zum neuerlichen Anstieg der Mieten, Neubauten, Ansiedlung von Geschäften und Abriss von baufälligen oder alten Gebäuden zugunsten neuer Immobilien. In den Neubauten sind die Mieten wesentlich höher, es kommt zu einer Verdrängung der Pioniere. Mit der Zeit macht dies – je nach Umfang des Stadtteils und Bekanntheitsgrad der Stadt – seine Runde und sorgt für eine zunehmende Wahrnehmung in der Öffentlichkeit, die unter anderem auch kritischer Natur ist.

Unterschiede zwischen der dritten und vierten Phase des Gentrifizierung nach Diller sind nur in der Veränderung der Bevölkerungsstruktur gegeben. Durch die weitere Verdrängung der Pioniere wird die Bevölkerungsstruktur immer homogener, was sich im sozialen Hintergrund und im Einkommen der Mieter und Käufer zeigt.

Zuletzt sieht die Hypergentrification als fünfte Phase die Internationalisierung des Stadtteils vor: Durch Investoren aus Europa und der Welt siedeln sich neue Firmen an, der Stadtteil bringt Immobilien und Geschäfte der Luxusklasse hervor und die Miete wird ein teures Unterfangen.

Letzten Endes sind die Phasen zum Teil spekulativ, bilden jedoch im Kern die Konsequenzen einer zunehmenden Aufwertung des Stadtteils sowie der Umgebung adäquat ab. Aus diesen Konsequenzen ergeben sich sowohl Vor- als auch Nachteile.

Grundlegende Vor- und Nachteile

+ Prestige und Bekanntheit des Stadtteils steigen

+ Wirtschaftliche Situation verbessert sich

+ Für Kapitalanleger ergeben sich bessere Renditen der Immobilien

  – Mieter mit schwächerem Einkommen werden zunehmend
  verdrängt

Insbesondere der Nachteil der Verdrängung einkommensschwa-
cher Mieter ruft in der Politik und im sozialen Sektor kritische
Stimmen hervor. Dies führt dazu, dass häufig alternative Defi-
nitionen des Begriffs Gentrifizierung entstehen, die suggerieren,
dass arme Mieter gezielt verdrängt werden, um Wohnungen sowie
Gegenden aufzuwerten und Profit zu machen.

Aus Sicht der Kapitalanleger ist allerdings genau das wichtig: Aufwerten, Preise erhöhen, aufwerten, Preise erhöhen und in diesem
Muster fortfahren. Dementsprechend müssen sich Kapitalanleger
angewöhnen, die sozialen Aspekte ein Stück weit hintanzustellen.
Es geht im Endeffekt ums Geschäft. Im Alter wird kaum jemand
die Rente um magere 30 Euro pro Monat erhöhen, damit das Geld
für Essen, Miete und Sozialabgaben ausreicht. Dementsprechend
muss in jüngeren Jahren die Kaltschnäuzigkeit eines Kapitalanlegers zutage treten.

Gentrifizierung am Beispiel Berlin-Kreuzbergs

Geschichten aus dem Berliner Stadtteil Kreuzberg der 90er Jahre
zeigen ein West-Berlin, welches „billige Mieten, auf der anderen
Flussseite die alten verrosteten Kräne des Osthafens, kaum Boots-
verkehr auf dem Fluss und noch keine U-Bahn über die Oberbaum-
brücke" (Tagesspiegel.de[50]) bereithält. Darüber hinaus spielen am
alten Omnibus-Betriebsbahnhof Personen auf dem Saxofon und
unterstreichen das lockere Leben im dreckigen Kiez. Es gefällt den
Menschen.
Und heute?

  ♦ Verdoppelte Mieten

  ♦ Veranstaltungsgelände

  ♦ Einkaufscenter

---

[50] Vgl. https://www.tagesspiegel.de/wirtschaft/immobilien/gentrifi-
  zierung-in-kreuzberg-wo-das-kapital-gesiegt-hat/24433426.html

- U-Bahnverkehr

- Luxuswohnungstürme, für deren Errichtung Teile der Berliner Mauer abgerissen wurden

- Neubauten direkt am Fluss, die die letzten Freiräume nehmen

Die Anwohner fassen – sofern sie sich überhaupt noch Mieten an diesem Ort leisten können – die Gentrifizierung als Übel auf und nehmen die Aufwertung nicht als eine solche wahr. Für sie ist es der Triumph des Kapitalismus. Bürgerentscheide gegen neue Bauten wurden vom Senat zugunsten von Unternehmenssitzen und der wirtschaftlichen Weiterentwicklung kompromisslos ignoriert. Nun ist Kreuzberg ein Stadtteil, der eher Touristen und die Belle-Étage der Gesellschaft anzieht. In diesem Sinne zeigt sich die Gentrifizierung hier eher von der negativen Seite.

Wieso ist es für Anleger wichtig, den Begriff der Gentrifizierung zu kennen?

Grundsätzlich wird jeder Begriff, der in diesem Werk – ob knapp oder ausführlich – vorgestellt wird, deswegen vermittelt, weil es zum Allgemeinwissen rund um das Thema Immobilie dazugehört, informiert zu sein. Je nach Art des Kapitalanlegers sind die eigenen Werte und Normen anders. Wer beispielsweise keinerlei Interesse am Erhalt der Natur oder des Wohlfühlfaktors für Mieter hat, wäre mit einer Investition in Kreuzberg richtig beraten gewesen. Zum jetzigen Zeitpunkt sind in Kreuzberg die Preise zu hoch, als dass eine Investition lukrativ wäre, aber im Laufe der 90er Jahre und in den frühen 2000ern wäre ein Investment richtig gewesen.

Personen jedoch, die im Rahmen einer Aufwertung daran interessiert sind, ein ausgewogenes Maß an Traditionen, Grünflächen und neuen Einflüssen einzuhalten, weil sie ideologisch dahinterstehen und über die bloße Rendite der Immobilie hinwegsehen, sind am Besten damit beraten, die Entwicklung des Stadtteils vor einem Investment zu untersuchen. Eine Gentrifizierung muss nicht zwingend den Abbau von Grünflächen bedeuten, aber sie kann. Um nochmals das Beispiel Katernbergs in Essen aufzugreifen: Essen insgesamt und ebenso der Stadtteil Katernberg investieren zunehmend in Grünflächen und vollziehen einen lobenswerten Strukturwandel. Speziell in Katernberg und den umliegenden Stadtteilen wird in Schulen, Kitas, Sportstätten und weitere Einrichtungen von sozialem Wert investiert. Eine solche Gentrifizierung ist eine, die theoretisch auch antikapitalistische Anleger befürworten können.

Jede Gentrifizierung hinterlässt in der Anfangsphase gewisse Spuren. Diese gilt es als Kapitalanleger zu untersuchen, wenn man an dem Wohl der gegenwärtigen und künftigen Mieter oder Käufer interessiert ist.

Zusammenfassung: Alles dreht sich um die Lage!

Bei der Kapitalanlage in Immobilien spielt die Lage der Immobilie die entscheidende Rolle. Dementsprechend ist es erforderlich, subjektive Kaufargumente hintanzustellen. Während beim Kauf zur Eigennutzung der Balkon, der Grundriss der Wohnung und ähnliche Aspekte wichtig sind, spielt dies beim Kauf der Immobilie zur Kapitalanlage keine Rolle. Denn letzten Endes findet sich immer ein Käufer, dessen Geschmack die jeweilige Wohnung entspricht. Die einzige Bedingung ist eine ausreichend hohe Nachfrage. Solch eine Nachfrage gibt es nur, wenn die richtige Lage der Immobilie gewählt wird. Dabei gilt es nicht, gezielt in die Stadtkerne Münchens, Berlins, Stuttgarts und anderer Städte zu gehen, da hier das Wachstumspotenzial weitestgehend ausgeschöpft ist und eine Immobilie kaum noch finanzierbar ist. Vielmehr ist es essenziell, Städte und Stadtteile mit Wachstumspotenzial zu entdecken, die aktuell noch nicht perfekt sind, aber sich in einer ansprechenden Umgebung befinden und eine lobenswerte Entwicklung verzeichnen, wie es in Essens Katernberg der Fall ist. Entscheidende Leitfrage ist dabei: Welche Wohnungen sind für mich finanzierbar und legen seit mehreren Jahren einen konstanten Miet- und Preisanstieg hin? In solche

Immobilien lohnen sich Investments. Letzten Endes besteht in entsprechenden Regionen auch die Aussicht auf eine sogenannte Gentrifizierung: Ganze Stadtteile oder Gegenden werden von Investoren aufgewertet, mehr Gutverdiener ziehen hinzu und die Kapitalanlage wird umso ertragreicher und wertvoller.

An- und Verkauf von Immobilien

Der An- und Verkauf einer Immobilie widerspricht dahingehend dem Grundsatz einer Kapitalanlage, dass hier nicht das Kapital angelegt wird und eine Wertsteigerung erfolgt, sondern eigene Aktivität notwendig ist: Da diese Aktivität einer unternehmerischen Tätigkeit entspricht, wird ab einer gewissen Menge verkaufter Immobilien in einer gewissen Zeitspanne eine Gewerbeanmeldung notwendig. Mit dem An- und Verkauf sind bereits Erträge in kurzfristigen Zeiträumen möglich, allerdings besteht im gleichen Zuge ein erhöhter Aufwand im Vergleich zur Vermietung. Da der An- und Verkauf von Immobilien zudem reichlich Eigenkapital erfordert, handelt es sich um einen Sonderfall, der nur im Rahmen dieses kurzen Kapitels erläutert wird.

Wann ist eine Gewerbeanmeldung erforderlich?

Wer den An- und Verkauf von Immobilien regelmäßig in die Tat umsetzt, ist definitiv zur Anmeldung eines Gewerbes verpflichtet. Die hier anfallenden Steuern wären die Gewerbesteuer sowie die Einkommenssteuer. Die Einkommenssteuer wird im Falle einer GmbH durch die Körperschaftssteuer abgelöst. Im Rahmen einer GmbH gründet der Händler eine Gesellschaft, die eine rechtlich eigene Person ist, was bestimmte Vorteile mit sich bringt. Mehr dazu in den nächsten Abschnitten.

Ab wann die rechtliche Lage einer Person gewerblichen Handel unterstellt, ist zunächst im Gesetz nur vage formuliert. Nähere Erkenntnisse zur Abgrenzung des gewerblichen Grundstückshandels von der privaten Vermögensverwaltung liefert Anhang 17 des amtlichen Einkommenssteuer-Handbuchs[51]. Hier sind die Regelungen für folgende Grundstücksarten festgelegt:

♦ Bebaute Grundstücke

♦ Unbebaute Grundstücke

♦ Beteiligung am allgemeinen wirtschaftlichen Verkehr

Bei bebauten Grundstücken, die nach zehnjähriger Haltedauer – auch bei Haltedauer zur Vermietung – verkauft werden, liegt kein gewerblicher Handel vor, unabhängig von der Menge der verkauften Grundstücke. Im Erbfall ist die Haltedauer des Vorbesitzers das Kriterium. Betrug diese mindestens zehn Jahre, so kann der Erbfolger das Grundstück veräußern, ohne dass gewerblicher Handel vorliegen würde.

Im Falle unbebauter Grundstücke, die vor dem Verkauf selbst genutzt oder verpachtet wurden, liegt ebenfalls kein gewerblicher Handel vor. Findet jedoch ein An- und Verkauf über die Jahre verteilt statt, so fällt dies unter die Kriterien einer gewerblichen Tätigkeit. Auch ergibt sich dann eine gewerbliche Tätigkeit, wenn die Grundstücke in mehrere Abschnitte unterteilt werden, die einzeln vermietet oder verpachtet werden, wie es beispielsweise bei Parzellen der Fall ist.

Die Beteiligung am allgemeinen wirtschaftlichen Verkehr kann auf viele Weisen erfolgen, wozu u. a. die Einschaltung eines Maklers oder die Veräußerung der Grundstücke an nur eine Person gehört. Sollte beispielsweise der Verkauf der Grundstücke ausschließlich an eine Person erfolgen, kann dies als gewerblicher Grundstückshandel aufgefasst werden.

Dies sind Kriterien, die die Art der Grundstücke und die Art der Veräußerung behandeln. Neben diesen Kriterien gibt es ebenso

---

[51] Vgl. https://bmf-esth.de/esth/2016/C-Anhaenge/Anhang-17/inhalt.html

die Drei-Objekt-Grenze. Diese besagt, dass, wenn innerhalb eines Zeitraums von fünf Jahren mehr als drei Objekte verkauft werden, eine gewerbliche Tätigkeit vorliegt. Bedingung hierfür ist jedoch, dass die Objekte in einem nahen Zeitraum erworben wurden. Da es sich bei der Drei-Objekt-Grenze und dem Zeitraum von fünf Jahren um keine starren Regelungen handelt, ist es möglich, dass auch über die fünf Jahre hinaus eine Bewertung durch das Finanzamt erfolgt. Allerdings bilden zehn Jahre die Grenze.

Somit ist zusammenfassend festzustellen, dass …

♦ … ein An- und Verkauf von mehr als drei Objekten innerhalb von fünf Jahren gewerblicher Grundstückshandel ist.

♦ … auch der Verkauf an nur keinen festen Vertragspartner als gewerblicher Grundstückshandel bewertet wird.

♦ … nach einer Haltdauer von zehn Jahren – unabhängig von der Menge der veräußerten Objekte – keine gewerbliche Tätigkeit unterstellt wird.

Hinweis!

Die zehn Jahre beinhalten noch einen weiteren Vorteil: Der Verkauf von Immobilien, die mehr als zehn Jahre gehalten wurden, ist nämlich selbst bei einem Gewinn im Vergleich zum ehemaligen Kaufpreis steuerfrei. Die sogenannte Spekulationsfrist ist verstrichen.

Werden weniger als drei Objekte innerhalb eines Zeitraums von fünf Jahren verkauft, findet zwar kein gewerblicher Handel statt, doch der Gewinn aus dem An- und Verkauf muss versteuert werden. Der Gewinn unterliegt der Einkommenssteuer, die individuell ist und mit dem Einkommen, Familienstand sowie abzugsfähigen Beträgen variiert. Diese Spekulationsfrist endet für alle Grundstücke und Immobilien erst nach zehn Jahren. Somit können Kapitalanleger rein theoretisch die Immobilie zehn Jahre lang vermieten und dann steuerfrei verkaufen und von der Wertsteigerung profitieren.

Gewerbeanmeldung: Welche Steuern fallen an?

Für die Gewerbeanmeldung eines Grundstückhandels sind keinerlei Qualifikationen und Nachweise notwendig. Der Name des Gewerbes ist vom Unternehmer selbst zu bestimmen. Dieser wird beim Finanz- und Gewerbeamt im Zuge einer Gewerbeanmeldung hinterlegt. Aufgrund der Tatsache, dass Grundstücke und Immobilien unter das Grunderwerbsteuergesetz fallen, ist der folgende Paragraf zur Befreiung von der Umsatzsteuer anzugeben: § 4 Absatz 9 Buchstabe a[52]. Durch die Angabe dieses Paragrafen werden die erzielten Umsätze von 19 % Mehrwertsteuer befreit.

Hinweis!

Beim Handel mit gewerblichen Grundstücken kann es durchaus sinnvoll sein, im Kaufvertrag von der Option des Verzichts auf die Umsatzsteuerbefreiung Gebrauch zu machen.

Im Zuge der gewerblichen Tätigkeit ist ein separates Geschäftskonto notwendig, in dem die Ein- und Auszahlungen des Unternehmens klar aufgeführt sind. Werden pro Jahr Gewinne von 24.500 € nicht überschritten, so ist nach § 11 Absatz 1 Satz 3 der Gewinn von der Gewerbesteuer befreit.

GmbH: Welche Steuern fallen an?

Die Führung einer GmbH ist mit einem speziellen Aufwand, jedoch ebenso mit speziellen Freiheiten verbunden. Der Aufwand besteht beispielsweise darin, dass zunächst ein Mindestkapital von 25.000 € in die Gründung eingebracht werden muss. Darüber hinaus bestehen Bilanzierungspflichten, die jährliche Fixkosten im Bereich mehrerer Tausend Euro für den Steuerberater beinhalten. Eine höhere Flexibilität ergibt sich wiederum dadurch, dass Unternehmer hier das Recht haben, eine andere Person – beispielsweise mit Fachkenntnissen im Immobiliensektor – zum Geschäftsführer zu ernennen. Dadurch können sich

---

[52] Vgl. https://www.gesetze-im-internet.de/ustg_1980/__4.html

die Unternehmer im Hintergrund halten. Auch haften Unternehmer nicht mit dem eigenen Vermögen, da die GmbH eine rechtlich eigene Person ist.

Steuerliche Vorteile ergeben sich insbesondere für Personen, die einer hohen Einkommenssteuer unterliegen. Durch Gründung einer GmbH entkoppeln sie zwar das Vermögen von ihrer Person und geben es an die GmbH weiter, die allerdings wiederum der geringeren Körperschaftssteuer anstelle der Einkommenssteuer unterliegt. Unternehmer können sich die Gewinne in Form eines Gehalts auszahlen, wenn sie sich bei der GmbH anstellen, oder aber in Form von Gewinnausschüttungen. Alles in allem sichert die GmbH einzelne natürliche Personen – also die Unternehmer – rechtlich ab und bringt bei einem Immobilienhandel mit hohen jährlichen Erträgen Steuervorteile ein.

Rechtliche Pflichten des Verkäufers

Wer Immobilien verkauft, unterwirft sich rechtlichen Verpflichtungen. Deren Nichtbefolgung kann zu einer Rückkaufpflicht der Immobilie samt Schadensersatzverpflichtungen gegenüber dem Käufer führen. Ebenso ergeben sich einem beauftragten Makler gegenüber Pflichten, die sogar noch über den Rücktritt vom Maklervertrag hinaus bindend sein können. Im Nachfolgenden wartet eine Übersicht der grundlegenden Verpflichtungen, um für das Thema zu sensibilisieren.

Aufklärung des Käufers

§ 433 des BGB[53] verpflichtet den Verkäufer, dem Käufer eine Sache frei von Rechts- und Sachmängeln zu übergeben. Sollten welche vorhanden sein, so muss der Verkäufer den Käufer darüber aufklären. Die entsprechenden Rechts- und Sachmängel sind im Kaufvertrag aufzuführen. Grundsätzlich schützt Unwissenheit vor Strafe nicht, was bedeutet, dass der Verkäufer sogar dafür haftet, wenn er den Käufer über nicht bekannte Schäden nicht aufklärt. Verkäufer

---

[53] Vgl. https://www.gesetze-im-internet.de/bgb/__433.html

können sich gegen die ihnen nicht bekannten Schäden absichern, indem im Kaufvertrag ein Haftungsausschluss vereinbart wird.

Hinweis!

Insbesondere An- und Verkäufer von Immobilien laufen Gefahr, in Fallen zu tappen. Wurde die Immobilie beim Ankauf nicht haargenau untersucht, so ist eine hohe Wahrscheinlichkeit gegeben, dass der Käufer nicht adäquat aufgeklärt werden kann. Liegt die Wohnung beispielsweise direkt über einem Seniorentreff und ist nicht ausreichend gedämmt, sodass die Gesänge und Stimmen des Seniorentreffs in der Wohnung zu hören sind, ist dies eine Informationspflicht dem Käufer gegenüber. Hier wäre ein Rücktritt vom Kaufvertrag mit Rückerstattung des Kaufpreises und Schadensersatz eine berechtigte Konsequenz für Verkäufer. Dementsprechend sind für einen Immobilienverkauf die detailliertesten Aspekte dem Käufer gegenüber zu erwähnen – oder der Haftungsausschluss im Vertrag ist der Rettungsanker.

§ 16 Abschnitt 5 Absatz 2 der EnEV[54] (Energieausweis-Verordnung) verpflichtet Verkäufer zudem, den Energieausweis für die Immobilie dem Kaufinteressenten vorzulegen. Gleiches gilt übrigens im Falle einer Vermietung des Gebäudes.

Erste Hinweise zu beauftragten Immobilienmaklern

Die Beauftragung eines Immobilienmaklers ergibt dann Sinn, wenn der Verkäufer sich auf dem Immobilienmarkt nur geringfügig auskennt oder keine Zeit zum Verkauf hat. Bei einem gewerblichen Handel mit Immobilien kann die Beauftragung des Maklers dahingehend verstärkt Sinn ergeben, dass ein hohes Volumen an Immobilien im Handel ist und der Überblick über die Immobilien im Rahmen der geschäftlichen Verpflichtungen untergeht. Wenn der Verkäufer maximal für die Hälfte der Maklerprovision aufkommen muss, ist es ein lohnendes Investment. In Bundesländern, wo der

---

[54] Vgl. https://enev-online.com/enev_2014_volltext/16_ausstellung_verwendung_energieausweise.htm

Verkäufer die Kosten für den Makler komplett übernehmen muss, ist die Beauftragung eines Maklers nur sinnvoll für den gewerbetreibenden Immobilienhändler, da dadurch der Aufwand reduziert und die Wahrscheinlichkeit einen erfolgreichen Verkauf der Immobilie gesteigert wird.

Mit der Maklerbeauftragung verbunden ist der Maklervertrag, der folgende Punkte umfassen sollte[55]:

- ◆ Vertragslaufzeit
- ◆ Bestimmungen bezüglich der Maklerprovision (Aufteilung der Kosten sowie Höhe)
- ◆ Aufwandsentschädigung des Maklers bei nicht zustande kommenden Verträgen
- ◆ Verpflichtung zu Werbemaßnahmen
- ◆ Verpflichtung zur Anwesenheit bei Besichtigungsterminen

Durch diese Punkte werden die Verpflichtungen des Maklers präzise definiert. So ist bei Rechtsstreitigkeiten gewährleistet, sich auf Aspekte des Maklervertrags zu berufen und diese in Relation zur erbrachten Leistung zu setzen.

Hinweis!

Selbst wenn der Vertrag mit dem Makler aufgekündigt wird, ist der Makler unter Umständen zur Provision berechtigt. Der BGH hat in einem Urteil entschieden, dass, wenn der Verkäufer der Immobilie beim Verkauf nach Abbruch des Vertrags Nutzen aus den Bemühungen des Maklers schöpft, die Zahlung der Maklerprovision verpflichtend wird. Dieser Nutzen muss nachweisbar sein, worüber im Einzelfall abgewogen wird.

---

[55] Vgl. https://www.makler-vergleich.de/immobilien-verkauf/hausverkauf/rechtliches.html

Achtung bei bestehenden Mietverträgen!

Sollte ein Investor eine Immobilie kaufen, um diese zu renovieren und zu verkaufen, hat er darauf Rücksicht zu nehmen, ob diese vermietet ist. Der Anfängerfehler, eine bereits vermietete Immobilie an- und verkaufen zu wollen, beinhaltet die Problematik, in der Übergangsphase bis zum Verkauf den Pflichten eines Vermieters nachkommen zu müssen. Dies ist in § 566 BGB geregelt[56], der besagt, dass „der Erwerber anstelle des Vermieters in die sich während der Dauer seines Eigentums aus dem Mietverhältnis ergebenden Rechte und Pflichten ein[tritt].“

Eine solche Aufbürdung der Pflichten eines Vermieters würde nicht nur den gesamten Prozess des An- und Verkaufs verkomplizieren, sondern auch die gewerbliche Tätigkeit um die Vermietung erweitern. Alles in allem würden sich eine unnötige Belastung ergeben. Deswegen gilt: An- und Verkauf stets bei leeren Gebäuden ohne Mieter! So ist die Phase zwischen An- und Verkauf einfacher zu überbrücken und ein Käufer in der Regel ebenfalls leichter zu finden.

Relevanz aufwertender Maßnahmen

Der gewerbliche Handel mit Immobilien erfolgt üblicherweise über kurze Zeiträume. Sollen der ursprüngliche Kaufpreis übertroffen und beim Verkauf ein Gewinn erzielt werden, haben aufwertende Maßnahmen eine hohe Relevanz. Vereinzelt existieren Investoren, die in Top-Lagen Gebäude erwerben und diese leer sowie ohne jegliche Behandlung stehen lassen, um von der natürlichen Wertsteigerung nach zwei Jahren oder mehr zu profitieren. Diese Vorgehensweise ist möglich, doch wesentlich üblicher ist es, einen schnelleren An- und Verkauf zu forcieren, um konstante Geldflüsse und Gewinne in kürzeren Zeitspannen zu realisieren. Hier erfüllen aufwertende Maßnahmen eine zentrale Rolle: Soll das Gebäude, welches soeben gekauft wurde, in mehreren Wochen oder Monaten zu einem höhe-

---

[56] Vgl. https://dejure.org/gesetze/BGB/566.html

ren Preis angeboten werden, so sind Sanierungen, Modernisierungen und Renovierungen die Mittel hierzu.

Dabei unterscheiden sich die drei Maßnahmen wie folgt:

♦ Eine Sanierung dient dem Zweck, das Gebäude wieder instand zu setzen und so dessen Nutzung zu ermöglichen

♦ Bei einer Renovierung werden Maßnahmen für eine solidere Substanz und ein optimiertes optisches Erscheinungsbild ergriffen

♦ Modernisierungen sehen vor, das Haus auf einen Standard zu bringen, der modernen Anforderungen gerecht wird

Ein Beispiel für eine Modernisierung ist der Umstieg auf alternative Energien, die umweltschonend und kostensenkend sind. Modernisierungen lassen sich mit Sanierungen verknüpfen. Hat beispielsweise das Haus ein kaputtes Dach, so fallen Kosten für dessen Sanierung an. Wird das Dach im Zuge der Sanierung mit einer Photovoltaikanlage ausgestattet, findet eine sogenannte energetische Sanierung statt.

Während sich Sanierungen und Renovierungen als Kosten des Gewerbebetriebs absetzen lassen, weisen Modernisierungen den zusätzlichen Vorteil auf, dass sie staatlich gefördert werden. Hier gibt es attraktive Kredite und Zuschüsse, wobei im Zuge eines gewerblichen Immobilienhandels die Zuschüsse, da sie nicht zurückgezahlt werden müssen und keine langfristigen Verbindlichkeiten generieren, einen Mehrwert darstellen. Folgende Zuschüsse sind im Kontext von Modernisierungen zu nennen und senken die Kosten der Unternehmer:

♦ Investitionszuschuss 430 mit bis zu 30.000 € durch die KfW-Bank (Kredit für Wiederaufbau)

♦ Zuschuss Brennstoffzelle 433 mit bis zu 28.200 € je Brennstoffzelle mit einer Leistungsklasse zwischen 0,25 und 5,0 Kilowatt elektrischer Leistung

♦ Marktanreizprogramm des BAFA mit Zuschüssen von mindestens …

    ○   … 2.000 € pro Solarthermieanlage.

    ○   … 3.500 € für Biomasseanlagen.

    ○   … 4.500 € bei Einbau einer Wärmepumpe mit Erdsonde.

Somit werden aufwertende Maßnahmen durch den Staat reichhaltig bezuschusst, sofern es sich um energetische Modernisierungen handelt. Parallel steigern sie den Kaufpreis der jeweiligen Immobilie immens. Alles in allem haben diese Maßnahmen gemeinsam mit den Sanierungen und Renovierungen einen nahezu unverzichtbaren Stellenwert bei dem gewerblichen Grundstückshandel.

Zusammenfassung: Eine Frage der eigenen Bereitschaft

Schlussendlich ist der gewerbliche Grundstücks- bzw. Immobilienhandel eine Frage der eigenen Bereitschaft. Die Bereitschaft zum Handel weisen Kapitalanleger in der Regel nicht auf, da bei einer Kapitalanlage das investierte Geld für eine Person arbeiten soll. Wer jedoch die Bereitschaft hat, mit Immobilien zu handeln, kann klein beginnen, wachsen und sogar bei kurzfristigen Zeithorizonten beachtliche Gewinne generieren. Für den Immobilienhandel im großen Rahmen mit großen Erträgen bietet eine GmbH die Gelegenheit, die Steuern zu senken, die eigene Haftung und die anderer Gesellschafter zu beschränken und mehr Flexibilität zu erlangen. Doch ob GmbH oder anderweitiges Gewerbe: Die Arbeit bleibt dem Anleger nicht erspart, der sich um die Aufklärungspflichten gegenüber dem Käufer kümmern und aufwertende Maßnahmen der Immobilie gewährleisten muss.

Alternative Kapitalanlageformen

Das erste Kapitel des Buches hatte die Dringlichkeit einer Kapitalanlage in renditestarke Investments veranschaulicht. Die Folgekapitel erläuterten, wieso Immobilien diese Kriterien erfüllen. Es darf davon ausgegangen werden, dass eine Kapitalanlage in Immobilien für den Großteil der Anleger eine weitreichende Entscheidung mit umfangreichen finanziellen Verpflichtungen ist, die gründliche Überlegung und Überzeugung erfordert. Um zu dieser Überzeugung zu gelangen, ist es essenziell, sich mit den alternativen Anlagestrategien auseinanderzusetzen. Mit dem Basiswissen über Immobilien im Hinterkopf sind Sie nach diesem Kapitel in der Lage, für sich persönlich zu entscheiden, ob und – falls ja – wieso Immobilien ein aussichtsreiches Investment darstellen. Dieses Kapitel hat dahingehend einen Vollständigkeitsanspruch, dass es das Wissen über die Immobilienanlage um die am stärksten verbreiteten Kapitalanlageformen ergänzt. Abstand nimmt dieses Kapitel dabei allerdings von den aktuell definitiv niedrig verzinsten Anlageformen, wozu Tagesgeldkonten, Sparbücher und ein Großteil der privaten Altersvorsorgeverträge gehören. Die Minderheit der Altersvorsorgeverträge, die Aussicht auf eine hohe Rendite mit sich bringen, sind die fondsgebundenen Altersvorsorgeverträge, die zusammen mit den Kryptowährungen und Sachwerten am Ende des Kapitels kurz erklärt werden. Den Großteil des Kapitels machen die drei Kapitalanlageformen Wertpapiere, Immobilienfonds und Gold aus.

Dabei soll zunächst als Instrument zur Evaluierung einzelner Kapitalanlageformen das „magische Dreieck der Kapitalanlage" aufgeführt werden:

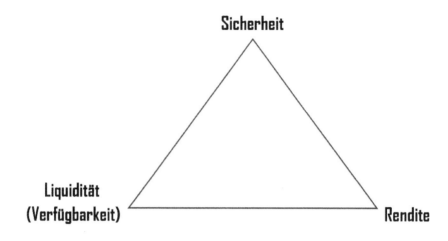

Quelle: bkm.de[57]

Dieses definiert drei Schlüsselfaktoren zur Bewertung einer Kapitalanlageform. Dabei sind allem voran die Rendite und die Sicherheit eng miteinander verknüpft. Es lässt sich die allgemeine Linie ausmachen, dass Investments mit hoher Sicherheit eine geringere Rendite in Aussicht stellen, während Investments mit hohen Renditeaussichten eine geringere Sicherheit beinhalten. Die Liquidität bezeichnet die Verfügbarkeit des Geldes und variiert mit dem jeweiligen Anlageprodukt. Ein Negativbeispiel mit geringer Liquidität sind Investments, bei denen das Geld aufgrund vertraglicher Regelungen über einen bestimmten Zeitraum beim Anbieter verbleiben muss. Ein Positivbeispiel mit hoher Liquidität sind Wertpapiere, die an der Börse gehandelt werden und einen sofortigen Verkauf an andere Anleger ermöglichen, um an Geldmittel zu gelangen.

Bei Betrachtung einer Immobilie als Kapitalanlage offenbart sich ein Konstrukt, welches Sicherheit dahingehend bietet, dass es

---

57 Vgl. https://www.bkm.de/geldanlage/kapitalanlage/

ein inflationsgeschützter Sachwert ist. Je nach Lage ist eine hohe Nachfrage durch Mieter ebenfalls ein Sicherheitsmerkmal. Die Rendite wiederum ergibt sich aus der Mietrendite und dem Wertanstieg der Immobilie, der ebenfalls mit der Lage der Immobilie variiert. Bei einem gut geplanten Investment ist jedoch auch dies gegeben. In Bezug auf die Liquidität weist die Immobilie während des Zeitraums der Finanzierung Schwierigkeiten auf, da Zahlungen geleistet werden müssen, die die Mieteinnahmen anfangs noch nicht decken. Darüber hinaus ist ein Wiederverkauf der Immobilie nicht lukrativ, da abzüglich des noch zu tilgenden Kredits sowie dessen Zinsen ein Verlustgeschäft möglich wäre. Nach der Finanzierung und gegen Ende des Finanzierungszeitraums bietet die Immobilie jedoch beim Wiederverkauf eine potenziell hohe Liquidität, welche erneut von der Lage abhängt. Die Schlussfolgerung ist berechtigt, dass die Immobilie insgesamt im Dreieck der Kapitalanlage eine positive Gesamtbewertung erzielt, da Sicherheit und Rendite aussichtsreich sind und Liquidität mit fortschreitender Zeit gegeben ist.

Das Dreieck der Kapitalanlage wird Lesern helfen, die nachfolgend vorgestellten Kapitalanlageformen auf deren Qualität hin zu überprüfen und mit der Immobilie nach eigenem Ermessen, aber stets fachlich korrekt, zu vergleichen.

Wertpapiere: Sich durch Investitionen an Unternehmen und deren Entwicklungen beteiligen

Der Wertpapierhandel sieht eine durch Investitionen stattfindende Beteiligung an Unternehmen vor. Personen, die Wertpapiere kaufen, erwerben einen vorab definierten Anteil an Unternehmen. Der Erwerb erfolgt durch andere Aktionäre, die ihre Anteile verkaufen, oder aber durch das Unternehmen selbst, welches Aktien zur Emission freigibt, um neues Kapital zu beschaffen. Kapitalanleger profitieren von Gewinnausschüttungen, den sogenannten Dividendenzahlungen, durch das Unternehmen. Darüber hinaus profitieren Sie von einem Wertanstieg der Aktien bei einem Verkauf. Bei einem

Wertverlust wiederum machen Anleger im Falle eines Verkaufs ein Minus. Je nach Art der Aktie und den Anteilen am Unternehmen haben Anleger besondere Rechte. Doch der Wertpapierhandel beinhaltet nicht nur den Handel mit einzelnen Anteilen am Unternehmen. Ebenso sind Aktienfonds mit einem Portfolio mehrerer Aktien und anderweitige Vermögenswerte an der Börse handelbar.

Wertpapiere: Grundlagen und Arten

Die Bezeichnung des Wertpapiers rührt aus früheren Jahrhunderten und Jahrzehnten, als die Börse noch nicht digitalisiert war. Seinerzeit gab es eine Urkunde bzw. ein Dokument, welches Personen bestimmte Vermögenswerte zuordnete. Im Wesentlichen hat sich daran bis heute nichts geändert: Ein Wertpapier ist zwar kein Dokument, sondern eine Ansammlung von Zahlen in einer digitalen Datenbank, die der jeweiligen Person zugeordnet sind, doch der Sinn und Zweck ist derselbe geblieben – die Zuordnung der Vermögenswerte. Aktien sind nur eine Art von Wertpapieren. Neben Aktien lassen sich u. a. folgende Arten von Wertpapieren an der Börse handeln:

- ◆ Anleihen

- ◆ Fondsanteile

- ◆ Derivate

Anleihen

Legt ein Anleger sein Geld in Anleihen an, wird er zum Kreditgeber für ein Unternehmen, eine Bank, einen Staat oder anderweitige Parteien. Auf diesen Kredit ist ein fest definierter Rückzahlungszeitraum mit einer fest definierten Verzinsung festgesetzt. Die erhaltenen Zinsen stellen dabei den Gewinn vor Steuern für Anleger dar. Es folgt eine Übersicht der Zinsen, die Anleger im Falle einer Kreditvergabe in Form einer Anleihe an einige Staaten erhalten:

Staat	Verzinsung
Dänemark	-0,33 %
Deutschland	-0,35 %
Griechenland	1,45 %
Japan	-0,09 %
Schweiz	-0,63 %
USA	1,78 %

Quelle: boerse.de[58]

Die Staatsanleihen finanziell sicher aufgestellter und gering verschuldeter Staaten beinhalten ein geringeres Risiko und werden dementsprechend mit geringeren Zinsen honoriert. Mag die USA beispielsweise als Wirtschaftsmacht gelten, so ist aufgrund der hohen Verschuldung der Zinssatz positiv. Somit bekommen Anleger aufgrund des höheren Risikos nach der Anleihe das investierte Geld und 1,78 % davon als Zinsertrag obendrauf. Personen, die eine Staatsanleihe für Deutschland aufwenden, müssen wiederum ein Minus von 0,35 % in Kauf nehmen. Die Begründung für die negativen Zinsen liegt darin, dass das Geld der Anleger derart sicher ist, dass es in der Staatsanleihe besser aufgehoben als an anderer Stelle ist.

Fondsanteile

Fonds bezeichnen Sondervermögen, welches „in Kombinationen von Wertpapieren, Geldmarktinstrumenten, Bankguthaben, Investmentanteilen und Derivaten" (Wirtschaftslexikon Gabler[59]) angelegt ist. Ein Aktienfonds stellt somit den Zusammenschluss mehrerer Aktien und weiterer finanzieller Instrumente dar. Wird der Fonds börslich gehandelt, so ist er jederzeit ohne Komplikationen an die Gesellschaft sowie andere Anleger wiederverkäuflich. Man bezeichnet ihn als offenen Fonds. Findet ein außerbörslicher Handel statt, ist der Fonds geschlossen und weist rechtliche Besonder-

[58] Vgl. https://www.boerse.de/konjunkturdaten/staatsanleihen/
[59] Vgl. https://wirtschaftslexikon.gabler.de/definition/investmentfonds-39812

heiten auf. Die Optionen zum Verkauf der eigenen Anteile sind in einem geschlossenen Fonds rar gesät. Weitere Ausführungen dazu sind im Folgeabschnitt über Immobilienfonds aufgeführt. Fonds werden an der Börse von Kapitalgesellschaften verwaltet und haben einen Fondsmanager, der das Portfolio des Fonds verändert, indem er Aktien und weitere Wertpapiere zu- und verkauft. Dadurch, dass ein Fonds mehrere Arten von Investments beinhaltet, wird das Risiko gestreut. Statt in eine Aktie zu investieren, wird in eine Vielzahl an Aktien und weiteren Investments investiert, damit die Verluste einzelner Posten durch die Gewinne der anderen aufgefangen werden. Fonds unterteilen sich in verschiedene Unterarten, wozu u. a. die ETFs gehören, die die Kursverläufe einzelner Aktienindizes abbilden und eine geringere Kostenstruktur aufweisen. Darüber hinaus gibt es Fonds, die sich auf Aktien oder auf andere Wertpapierarten spezialisieren. Das zentrale Merkmal, welches Anlegern als Vorzug im Sinne der Sicherheit genannt wird, ist das Prinzip der Risikostreuung.

Derivate

Derivate unterteilen sich in mehrere Unterarten mit Spezifikationen: Optionsscheine gewähren die Option, zu einem zuvor festgelegten Preis eine zuvor festgelegte Leistung, Ware oder sonstige Komponente zu erhalten. Es sei davon ausgegangen, dass der Halter eines Optionsscheins von einem Verkäufer das Recht eingeräumt bekommt und schriftlich in Form eines Optionsscheins erhält, die definierte Menge eines Produkts zum Zeitpunkt XY zu kaufen. Nun kann der Halter des Optionsscheins abwägen, diesen Schein weiterzuverkaufen. Spekulanten werden auf eine zwischenzeitliche Wertsteigerung des Produkts hoffen. Sie kaufen dem Halter des Optionsscheins den Schein ab. Optionsscheine sind somit Spekulation auf einen Wertanstieg des Scheins. Verliert das im Schein vereinbarte Produkt an Wert, so muss die Option auf einen Kauf des Produkts nicht wahrgenommen werden. Es handelt sich schließlich nur um eine Option …

Zertifikate sind Wertpapiere, die eine Wette auf bestimmte Kursverläufe repräsentieren. Einem Zertifikat liegt der aktuelle Wert eines Wertpapiers zugrunde. Nun gibt es das sogenannte Express-Zertifikat, welches bei einem neutralen Verlauf – einer Seitwärts-Phase – eine Rendite ermöglicht. Dafür kommt es bei Kursverlusten oder einem Kursgewinn zu einem Verlust des investierten Geldes. Auch existieren Zertifikate, die nach einem Rabatt-Prinzip funktionieren. Sie werden unter dem aktuellen Wert einer Aktie gekauft und bieten Anlegern mehr Sicherheit, indem sie Kursverluste reduzieren. Den geringeren Verlustrisiken sind jedoch künstlich begrenzte Kursgewinne gegenübergestellt. Letzten Endes bildet der Handel mit Zertifikaten ein Anlagemodell für erfahrene Investoren ab.

CFDs sind zu Deutsch auch unter dem Namen *Differenzkontrakte* bekannt. Die Differenz des Aktienwerts zu Zeiten des Kaufs und Verkaufs ergibt den Wert des CFDs. Es ist ein hochspekulatives Geschäft, bei dem Anleger sogenannte Hebel einsetzen können. Sie hebeln ein eingesetztes Kapital von 5.000 € auf einen Wert von 100.000 €. Somit jonglieren sie mit größerem Kapital, was allerdings brandgefährlich ist, da auch die Verluste demselben Hebel unterliegen.

Empfehlenswerte Wertpapiere für Einsteiger

Sofern Einsteiger an einer Investition in Wertpapiere interessiert sind, sind Fonds empfohlen. Diese beinhalten eine größere Anzahl an Aktien im Portfolio und streuen somit das Risiko. Es existieren Mischfonds, die neben Aktien auch Immobilienvermögen, Anleihen sowie weitere Komponenten beinhalten. Neben diesen Mischfonds gibt es Aktienfonds, die spezielle Schwerpunkte setzen: Ob als Umweltfonds, wo ökologische Investitionen getätigt werden, oder als Dividendenfonds, der eine besonders starke Ausschüttung von Geldern mit sich bringt – die Auswahl ist groß. Darüber hinaus existiert mit den Exchange-Traded Funds (ETFs) die Möglichkeit, in einen Fonds zu investieren, der einen Index abbildet. Indizes sind imaginäre Portfolios, die die Performance einer bestimmten Auswahl an Aktien abbilden. Ein Beispiel wäre der DAX. Da es jedoch unmöglich ist, in den DAX zu investieren, ermöglichen die ETFs, die dem Index und dessen Kursverlauf folgen, eine der Investition in den DAX vergleichbare Anlage.

Zwei Beispiele veranschaulichen die Performance guter Aktienfonds:

Blackrock
Die Fondsgesellschaft Blackrock erwirtschaftete zwischen Dezember 2018 und Dezember 2019 20,2 % Rendite für ihre Anleger. [60] Investiert wird vom Fondsmanagement in nahezu jeder Branche. Dabei sprechen auch die Entwicklungen über einen Zeitraum von mehreren Jahren für das US-amerikanische Unternehmen, welches mittlerweile Büros in 34 Ländern der Welt hat: Im Zeitraum von Dezember 2014 bis Dezember 2019 verzeichnete der Fonds einen Wertanstieg von 57,1 %. Aufsichtsratsvorsitzender bei Blackrock Deutschland ist der aus der Politik bekannte Friedrich Merz.

DAX-ETFs
Im Internet sind zahlreiche Produkte aufgeführt, die als ETFs den Verlauf des DAX präzise abbilden. Ein Beispiel für ein solches Produkt stellt der *iShares Core DAX® UCITS ETF (DE)* dar. Es genügt ein Überblick über die Wertentwicklung des jeweiligen ETFs im Vergleich zum Kursverlauf des DAX, um herauszufinden, welche Fonds adäquat performen und den DAX zuverlässig abbilden. Einen solchen Überblick stellen alle Broker-Seiten im Internet transparent in grafischer Form zur Verfügung. Um den Nutzen einer Investition in einen solchen ETF abzubilden, folgt ein Blick auf die Entwicklung des DAX:

Ein Anstieg von rund 100 % über einen Zeitraum von 20 Jahren – ab 1999 bis 2019 – steht bei den Unternehmen des DAX zu Buche. [61] Dass der DAX zwischenzeitlich immer wieder auf Tiefpunkte fiel, zeigt, wie wichtig es ist, mit langem Anlagehorizont

---

[60] Vgl. https://www.finanzen.net/aktien/blackrock-aktie
[61] Vgl. https://www.finanzen.net/index/dax/seit1959

zu investieren und über die Jahre auch bei Negativentwicklungen Geduld zu bewahren.

Neben den Fonds besteht die Möglichkeit, selbst ein Portfolio an Aktien zusammenzustellen oder in einzelne Unternehmen zu investieren. Sollten Kleinanleger und an der Börse unerfahrene Personen diesen Weg wählen, dann ist angeraten, viel Zeit in die eigene wirtschaftliche und finanzielle Bildung zu investieren. Börsennotierte Unternehmen sind des Gesetzes wegen verpflichtet, Neuigkeiten, die den Kursverlauf beeinflussen könnten, direkt zu veröffentlichen. Hier ist es empfehlenswert, sich eine App mit Push-Nachrichten auf dem Smartphone einzurichten, um den richtigen Zeitpunkt für den Kauf oder Verkauf einer Aktie zu ermitteln. Des Weiteren sollten die Börsennachrichten, Analysemodelle zur Berechnung des Wertverlaufs von Aktien und Zeitungen mit wirtschaftlichem Schwerpunkt zum täglich Brot werden. Soll über die Investition in einzelne Aktien Erfolg eintreten, so ist in der Regel viel Aufwand gefordert. Zwar ist die konsequente Investition in Weltkonzerne wie Amazon, Apple, Adidas, Facebook, Coca-Cola und weitere Big Player eine Option, um sichere Investments umzusetzen. Jedoch sind hier hohe Anfangsinvestitionen die Regel, weswegen diese Strategie ausschließlich für vermögende Personen mit genügend Eigenkapital eine Option darstellt. Das reizvolle an Aktien ist im Vergleich zu Aktienfonds, dass zwischen Stamm- und Vorzugsaktien unterschieden wird. Während letztere höhere Dividenden ausschütten, beinhalten die Stammaktien dieses nicht, dafür aber ein Stimmrecht auf der Hauptversammlung und Einflussnahme auf die Entwicklung des Unternehmens sowie wichtige Entscheidungen.

Aktien am Beispiel eines Orakels

Die Lebensgeschichte eines Großinvestors vermittelt eine Anlagestrategie, die heute auch Kleinanlegern empfohlen wird.

Man nennt ihn das Orakel von Omaha: Warren Buffet. 1930 geboren, nutzte er das lange Leben, das ihm bis heute gegönnt ist, um ein Vermögen von rund 83 Milliarden US-Dollar aufzubauen und eine

Kapitalgesellschaft zu gründen, die die zurzeit teuerste Aktie der Welt zum Verkauf hat. Der Börsenguru hat sein ganzes Leben investiert und zwischendurch ein Studium absolviert. Diese Laufbahn begann schon im Alter von 6 Jahren, als er Cola-Flaschen in Sixpacks kaufte und jede Flasche für 5 Cent weiterverkaufte – dies ergab einen Gewinn von insgesamt 5 Cent pro Sixpack. Im Laufe der Zeit erweiterte er seine Investments und stieg Liga um Liga auf: Als 11-jähriger waren es die ersten Aktien, mit 14 Jahren verpachtete er und im Alter von 17 Jahren kaufte er einen maroden Wagen auf, den er mit seinen Freunden reparierte und anschließend vermietete.

1954 begann er mit der Arbeit als Wertpapieranalyst bei einem ehemaligen Dozenten seiner Uni. Hier begann der steile Aufstieg in seiner Karriere mit beachtlichen Jahresrenditen. Im Schnitt 20 % Rendite erzielten die Aktien, die von ihm ausgesucht wurden. Seinen Erfolg führte er ab 1956 mit einem eigenen Investmentpool fort, bei welchem er bis 1969 blieb und durchschnittliche Jahresrenditen von knapp 29 % für alle Anleger im Pool erwirtschaftete.

Am Ende der 60er Jahre jedoch kam es zu einem Wandel an der Börse: Die „Zocker" stiegen ein und handelten mit hohen Beträgen in kurzen Zeiträumen. Es wurde auf Tagesbasis spekuliert, wodurch es immer mehr zu kurzfristigem Anstieg, gefolgt von plötzlichem Kursverfall, kam. Warren Buffett distanzierte sich davon und löste seinen Investmentpool auf. Gegen Ende der 60er und Anfang der 70er brachen die hochspekulativen Aktien und die Investmentfonds ein. Buffett ging seine eigenen Wege und legte den Grundstein für das, was bis heute eine große Erfolgs-Anlagestrategie ist und die wertvollste Aktie der Welt entstehen ließ: Er übernahm mit Berkshire Hathaway eine Textilfabrik, ein wirtschaftlich weniger aussichtsreiches Unternehmen, und wandelte es nach und nach in eine Beteiligungsgesellschaft um. Er behielt die Gewinnausschüttungen ein, um stets in weitere Aktienkäufe zu investieren. So vergrößerte er das Vermögen und die Beteiligungen von Berkshire Hathaway konstant. Zentrale Muster seiner Anlagestrategie waren dabei:

♦ Investitionen auf einen langfristigen Zeitraum auslegen

♦ In gestandene Unternehmen investieren

♦ Investieren, sobald die Kurse gefallen sind und die Aktie unter Wert erhältlich ist

Insbesondere die letzte Regel erweist sich als wichtig: So hat er, als nach dem Platzen einer Börsenblase gegen Ende 1974 sämtliche Anleger und Investoren in Panik gerieten, umfangreiche Käufe getätigt. Die Annahme war, dass die herben Kursverluste nur von kurzer Dauer wären und die Unternehmen allesamt unter Wert verkauft würden.

Anfangs war die Aktie von Berkshire Hathaway zu einem Stückpreis von 43 US-Dollar erhältlich. Heute ist eine Aktie 330.495,11 US-Dollar wert[62]. (Stand: Dezember 2019)

Depot bei der Bank oder online?

Um mit Wertpapieren zu handeln, ist ein Depot erforderlich. Es ist im Grunde genommen ein Konto, welches den Wertpapierbestand und dessen Vermögen abbildet. Das eigene Giro- oder Geschäftskonto ist für den Wertpapierhandel ungeeignet, da hier nur Geldwerte abgebildet werden. Dennoch ist für den Wertpapierhandel ein Girokonto notwendig, um Überweisungen für Käufe und Verkäufe der Wertpapiere zu tätigen. So werden das Geldkonto und das Depot miteinander verknüpft. Damit ist allerdings nur der Grundstein gelegt. Denn neben dem eigenen Depot ist ein Broker erforderlich, der die Aufträge ausführt. An der Börse dürfen nämlich nur ausgebildete Broker handeln. Somit beauftragen Anleger den Broker in Form einer Order zum Kauf oder Verkauf. Nun ist der Wertpapierhandel möglich.

Depot und Broker verursachen Kosten, die je nach Anbieter variieren. Es lässt sich im Allgemeinen eine Linie zwischen den Online-Brokern und den Brokern einer Filialbank ziehen: Nämlich

---

[62] Vgl. https://www.finanzen.net/aktien/berkshire_hathaway-aktie

weisen Online-Broker geringere Kosten pro Order und ebenso geringere Depotgebühren auf. Während bei der Sparkasse ein Depot beispielsweise 20 Euro im Jahr kostet und die einzelnen Ordergebühren mindestens 8,99 Euro betragen, sind es bei Online-Brokern lediglich wenige Euros im Jahr und meistens Cent-Beträge pro Order. Insbesondere bei geringen Investitionssummen machen diese Unterschiede einiges aus, da gilt: Je geringer der investierte Betrag, umso höher ist der Anteil an Depot- und Ordergebühren.

Der Online-Broker weist neben dem Vorteil der geringeren Gebühren zudem schnelle Reaktionsmöglichkeiten auf. Während bei Hausbanken der Kontakt zum Broker erschwert ist und dessen Umsetzungen der Order länger auf sich warten lassen – was sogar bis zu zwei Tage dauern kann –, sind Online-Broker direkt und ortsunabhängig schnell zu erreichen. Auch ist der außerbörsliche Handel mit Wertpapieren ein Vorzug, den allerdings nur erfahrene Anleger in Anspruch nehmen sollten.

Die Nachteile der Online-Broker sind wiederum die Vorteile der Hausbanken: Es ist eine individuelle Beratung möglich. Zudem werden Produkte empfohlen. Des Weiteren findet eine umfangreiche Aufklärung über die Börse sowie den Wertpapierhandel statt.

Fazit

Der Wertpapierhandel geht über die bloßen Aktien hinaus. Er liefert mit Anleihen, verschiedenen Arten von Derivaten und Fonds sowie gemischten Investments reichlich Spielraum für alle Arten von Anlegern: Ob vermögend oder finanziell eingeschränkt, ob Zocker oder rationale Person, ob ökologisch oder kapitalistisch orientiert. Anfänger und Personen mit einem langfristigen Anlagehorizont sind dann am besten beraten, wenn die Entscheidung auf einen Aktien- oder Mischfonds fällt. Hier wird das Risiko gestreut. Außerdem hat sich die Annahme, dass sich eine Vielzahl an Unternehmen in einem Fonds über mehrere Jahre positiv entwickelt, weil die Wirtschaft wächst, in der Vergangenheit häufig bewahrheitet. Auf einen Zeitraum von zehn Jahren stellen Fonds renommierter Gesellschaften wie Blackrock und ETFs, die Aktienindizes abbilden, ein aussichtsreiches

Investment dar. Jedoch hat die Vergangenheit gezeigt, dass auch hier ein Kursverfall keine Seltenheit ist. Letzten Endes empfiehlt es sich, das eigene Vermögen zu einem Teil in Wertpapiere zu investieren und dabei das Risiko zu streuen. Werden die Kosten durch einen On-line-Broker gering gehalten und wird das Investment mit Geduld auf einen Zeitraum von einem bis zu mehreren Jahrzehnten ausgelegt, ist von einer Rendite auszugehen, die inflationsbereinigt und nach Ab-zug von Steuern beim Verkauf der Anteile einen signifikanten Ge-winn beschert. Eine Investition kann mittels monatlicher Sparbeträge erfolgen oder – um die Gebühren zu reduzieren – in breiter angeleg-ten Zeiträumen mit höheren Beträgen.

Bewertung

- ◆ Sinnvolles Investment bei langen Zeiträumen und Risi-kostreuung

- ◆ Investition in einzelne Aktien nur bei umfangreicher In-formation über den Markt

- ◆ Zur Abbildung von Indizes sind ETFs eine geeignete Fonds-Art

- ◆ Ein Online-Broker ist einem Depot und der Brokerage bei der Hausbank vorzuziehen

- ◆ Wertpapiere bieten mehr Sicherheiten, als in breiten Teilen der Bevölkerung behauptet wird. Ein Teil der Kapitalanlage darf durchaus in den Wertpapierhandel einfließen.

Immobilienfonds: Mit der Kraft mehrerer Anleger Immobilien kaufen und vermieten

Durch Immobilienfonds wird jedem Sparer der Eintritt in den Im-mobilienmarkt ermöglicht. Hierzu existieren Immobilienfonds, im Rahmen derer mehrere Personen ihre finanziellen Mittel bzw. einen Anteil davon vereinen, um sich an Projekten zu beteiligen. Wie diese Projekte aussehen und an welchen Immobilien sich beteiligt wird, regelt die jeweilige Art des Fonds. Die gröbste Unterteilung erfolgt in offene und geschlossene Immobilienfonds. Erstere sind direkt an der Börse handelbar. Letztere sind nicht an der Börse handelbar, sondern machen aus den Anlegern Unternehmer, die Teilhaber einer Gesellschaft sind. Darüber hinaus gibt es weitere Regularien und feinere Unterteilungen der Immobilienfonds.

Offener Immobilienfonds

In der Regel werden Gewerbeimmobilien in einem offenen Immobilienfonds angekauft. Diese Fonds werden an der Börse gehandelt, wie es auch bei Aktien bzw. Wertpapieren der Fall ist. Anleger sind dementsprechend auf die Eröffnung eines Wertpapier-Depots bei einer Bank angewiesen. Sobald dieses eröffnet ist, kann der Broker beauftragt werden, der nach Überweisung eines Betrags einen Teil als Provision nimmt und den anderen Teil in den Fonds investiert. Dabei haben offene Immobilienfonds keine Grenze für Kapitalanleger. Diese bedeutet, dass bereits mit den kleinsten Geldbeträgen Investitionen und Beteiligungen an dem Projekt möglich sind. Anleger profitieren bei Erfolg des Fonds von einer Beteiligung an den Mieterträgen und an dessen Wertsteigerung. Die Ausschüttung der Mieterträge erfolgt einmal jährlich, die Wertsteigerung trägt zu einem steigenden Vermögen im eigenen Wertpapierdepot bei. Bei Verkauf der Anteile werden aus dem Wertpapiervermögen liquide Mittel, indem der Ertrag aus dem Verkauf abzüglich der Provision für den Broker aufs eigene Bankkonto überwiesen wird.

Für offene Immobilienfonds gelten folgende relevante rechtliche Regelungen:

♦ Mind. 10 Immobilien (Prinzip der Risikostreuung)

♦ Mind. 5 % Liquiditätsreserve: Um Anleger bei Verkauf der Anteile auszubezahlen, ist eine Liquiditätsreserve im Fonds vorgeschrieben (vgl. § 80 I 1, 2 InvG[63]).

---

[63] Vgl. https://www.buzer.de/gesetz/6331/a87918.htm

♦ Eingeschränkte Immobilienauswahl: Nur innerhalb des Europäischen Wirtschaftsraumes (EWR) liegende Grundstücke zu Miet- und/oder Geschäftszwecken, die bebaut sind oder demnächst bebaut werden sollen, sind gestattet (vgl. § 67 InvG[64]).

♦ Anlagen im EWR-Ausland unter Sonderbedingungen: Gestattet es der Fonds-Vertrag und werden 15 % des Sondervermögenswertes nicht überschritten, sind auch Anlagen außerhalb des EWR gestattet (vgl. § 67 Abs. 2 InvG[65]).

Der Immobilienfonds wird von einer Kapitalanlagegesellschaft (KAG) verwaltet und zusammengesetzt. Diese muss über ein Mindest-Eigenkapital von 2,5 Millionen € verfügen und wird von der Bundesanstalt für Finanzdienstleistungsaufsicht (BaFin) beaufsichtigt. Neben dem Immobilienfonds und den Anlegern ist die dritte Partei die Depotbank, wo das Vermögen der Anleger lagert. Diese hat die Genehmigung nach § 26 InvG[66], besonders riskanten Geschäften der KAG die Zustimmung zu verwehren. Aufgrund der rechtlichen Beziehungen der drei Parteien wird in diesem Zusammenhang von einem Investment-Dreieck[67] gesprochen.

Möchte ein Anleger in einen Immobilienfonds investieren, so reicht es aus, den Börsenmarkt zu sondieren. Hier sind die Stückwerte pro Aktie täglich aufgeführt. Offene Immobilienfonds zeichnen sich dadurch aus, dass sie unbegrenzt Kapital aufnehmen. Fließt durch einen neuen Kapitalanleger Geld in den Fonds, so wird dieses in Immobilien investiert und vergrößert das Fondsvermögen. Anteile können jederzeit gekauft und ebenso verkauft werden. Bei einer Rückgabe ist der Stückpreis pro Aktie der Rückkaufswert. Dem Fonds steht es frei, die Gewinne auszuschütten oder zu reinvestieren. Werden sie ausgeschüttet, so ergeben sie sich aus den Mieteinnahmen und eventuellen anderen Erträgen abzüglich

---

[64] Vgl. https://www.buzer.de/gesetz/6331/a87905.htm
[65] Vgl. https://www.buzer.de/gesetz/6331/a87905.htm
[66] Vgl. https://www.buzer.de/gesetz/6331/a87864.htm
[67] Vgl. https://www.dr-stoll-kollegen.de/glossar/offene-immobilienfonds

der Kosten für die Verwaltung, Bewirtschaftung, Instandhaltung, Zinsleistungen und möglicher Abschreibungen für Abnutzung (AfA)[68]. Sollte keine Gewinnausschüttung, sondern stattdessen die Reinvestition in neue Immobilien erfolgen, steigt der Wert der Anteile des Anlegers am Immobilienfonds.

Der Fonds muss keine Gewerbe- und Körperschaftssteuer zahlen. Stattdessen werden die Steuern für die Mieteinnahmen von den Anlegern eingezogen. Hier wird die Abgeltungssteuer nach § 32d EstG auf Einkünfte aus Kapitalerträgen[69] mit 25 % festgesetzt. Die Gewinne wiederum, die sich aus der Wertsteigerung des Immobilienfonds ergeben, sind solange nicht steuerpflichtig, bis sie durch den Verkauf der Anteilsscheine realisiert werden.

Geschlossener Immobilienfonds

Mit einem geschlossenen Immobilienfonds werden Anleger Unternehmer. Geschlossene Immobilienfonds sind als Personengesellschaften notiert, wobei die Rechtsform der Gesellschaft mit beschränkter Haftung & Compagnie Kommanditgesellschaft (GmbH & Co. KG) oder einer Gesellschaft bürgerlichen Rechts (GbR) gewählt wird. Der geschlossene Immobilienfonds ist somit nicht börslich handelbar. Es handelt es sich um ein Investitionsprojekt, in welches sich Anleger einkaufen können. Dieses wird durch das Unternehmen durchgeführt und kann eine Immobilie oder mehrere beinhalten.

Geschlossene Immobilienfonds sind bei Banken, Beratern und Projektinitiatoren erhältlich. Anleger treten der Gesellschaft bei, wobei ein Emissionsprospekt über sämtliche Hintergründe des Projekts samt Risiken informiert[70]. Die Verantwortung der Durchführung des Projekts obliegt der Geschäftsführung, wobei der Anleger nur Mitwirkungs- und Kontrollrechte hat.

---

[68] Vgl. https://www.buzer.de/gesetz/6331/a87905.htm
[69] Vgl. https://www.gesetze-im-internet.de/estg/__32d.html
[70] Vgl. https://www.dr-stoll-kollegen.de/glossar/geschlossene-immobilienfonds

Hinweis!

Geschlossene Immobilienfonds gibt es in einer feineren Unterteilung auch als geschlossene Leasingfonds. Diese zeichnen sich dadurch aus, dass die Initiatoren des Projekts das Gebäude selbst beziehen wollen. Sie wenden also das Kapital der Anleger auf, um eine eigene Immobilie zu erbauen und zu leasen. Anleger profitieren von den Leasing-Zahlungen, die allerdings von der Bonität und dem Geschäftserfolg des Leasingnehmers abhängig sind. Des Weiteren kann nach der Leasing-Zeit eine Vermietung oder Veräußerung im Falle einer schlechten Lage der Immobilie zum Problem werden.

Die primäre Ertragsquelle für die Anleger stellen die Mieterträge dar. Eine Wertsteigerung lässt sich nicht täglich ermitteln, da der geschlossene Immobilienfonds außerhalb der Börse gehandelt wird. Ebenso bestehen für den Fonds keinerlei Rücknahmepflichten der eigenen Anteile. Möchten Anleger ihre Anteile verkaufen, müssen sie hierfür außerbörslich einen Weg finden, wobei unter Umständen der Verkauf an andere interessierte Anleger oder außenstehende Investoren mit Investitionsbereitschaft eine Möglichkeit wäre. Anderweitig ist der Verkaufserlös durch den Verkauf der Immobilie nach Ende der Mietverträge ein Weg, in dem sich die gesamte Gesellschaft des Fonds entledigt.

Der Anleger geht vom Prinzip her dieselben Risiken ein, wie sie ein eigener Immobilienkauf zur Vermietung an sich hat: Von einer ungünstigen Lage über Mietnomaden bis hin zu Mietausfällen und Gebäudeschäden sowie weiteren Problemen. Zudem existieren geschlossene Immobilienfonds, bei denen das Portfolio an Immobilien zunächst unbekannt ist. Diese werden als *Blind Pool* bezeichnet.

Die Einkünfte werden nach § 21 Abs. 1 Nr. 1 EStG[71] in der Einkommensteuererklärung der Vermietung und Verpachtung zugeordnet, wodurch sich Möglichkeiten zur Abschreibung für Auf-

---

[71] Vgl. https://www.gesetze-im-internet.de/estg/__21.html

wände wie Renovierungen und Verwaltung ergeben. Sollte ein geschlossener Leasing-Fonds vorliegen, greifen die Leasingerlasse auf Seiten der Leasinggeber und -nehmer.

Fazit

Offene Immobilienfonds haben spezifische Nachteile, wozu individuelle Mindesthaltefristen gehören. Ist ein vertraglich vereinbarter Zeitraum der Haltedauer nicht abgelaufen, dürfen die Anteile nicht veräußert werden. Des Weiteren ist eine Ankündigung der Anteilsrückgabe erforderlich, die die Fondsgesellschaften mit Terminen einschränken kann. Somit ist die Möglichkeit, auf Kursschwankungen kurzzeitig zu reagieren, ausgeschlossen. Diesen Risiken und Nachteilen zum Trotz entpuppen sich offene Immobilienfonds angesichts ihrer Renditen von im Schnitt 6 % jährlich (Stand: 2018; vgl. fondsdiscount.de[72]) als stabiles Investment mit einer obendrein geringen Schwankungsbreite. Dementsprechend werden sie oft von Investoren als Ausgleich in das eigene Vermögensportfolio aufgenommen.

Geschlossene Immobilienfonds wiederum bringen als Vorzüge die Aussichten auf hohe Renditen durch Mieterträge und Verkaufserlös nach fest definiertem Zeitraum mit sich. Diese potenziellen Vorzüge werden von einem unternehmerischen Risiko begleitet, welches dem eines eigenen Immobilienkaufs samt Vermietung und Verkauf gleicht. Ausnahme ist jedoch, dass beim Fonds das Risiko von mehreren Anlegern getragen wird. Dies mindert im gleichen Zuge jedoch den Ertrag pro Anleger. Zwar weisen geschlossene Immobilienfonds (Stand 2019; vgl. derassetmanager.de[73]) mit 80 % den höchsten Anteil aller Arten geschlossener Fonds auf, doch stimmen durchgesickerte Erfahrungsberichte über einzelne Anbieter nachdenklich: So wird bei „schwarzen Schafen" von deutlich verringerten Renditen durch überhöhte Verwaltungskosten

---

[72] Vgl. https://www.fondsdiscount.de/magazin/news/offene-immobilien-fonds-als-stabilitaetsanker-in-unruhigen-bo-3330/

[73] Vgl. https://www.derassetmanager.de/geschlossene-fonds-wieder-im-aufwind/

gesprochen. Hinzu kommt die unleugbare Komponente, dass eine qualifizierte Unternehmensführung erforderlich ist, um den Erfolg des Immobilienfonds zu gewährleisten. Wird die Immobilie schlecht gemanagt, so sind Mietausfälle und rechtliche Streitigkeiten vorprogrammiert.

Bewertung:

♦ Offene Immobilienfonds erzielen im Schnitt eine beachtliche Rendite, die inflationsbereinigt zu einem Gewinn führt

♦ Bei offenen Immobilienfonds ist auf die Auswahl des Produkts zu achten, die sich durch Vermögensberater und die Einschätzungen von Analysten bestmöglich gestalten lässt

♦ Geschlossene Immobilienfonds bergen Aussichten auf höhere Renditen als offene Immobilienfonds, beinhalten zugleich aber ein höheres Risiko für Misserfolg

♦ Offene Immobilienfonds kombinieren eine grundlegende Sicherheit mit lukrativen Renditeaussichten, sodass sie eine Empfehlung darstellen

➔ Alles in allem sind offene Immobilienfonds eine gute Beimischung für bestehende Wertpapierportfolios. Wer die Möglichkeit hat, Geld in Immobilien allein anzulegen, sollte dies jedoch vorziehen. Von geschlossenen Immobilienfonds wird allgemein hin abgeraten.

Gold: Sachwert mit enormen Schwankungen

Die Geldanlage in Gold unterliegt vielen Irrtümern, die von der Sicherheit einer Investition bis zur Rendite reichen. Beim Gold handelt es sich um einen Sachwert, welcher limitiert ist. Dies bedeutet, dass von vornherein eine begrenzte Menge auf der Welt gegeben ist. Die bisher bekannten Wege, Gold künstlich herzustellen, sind derart kostenintensiv, dass es sich nicht rentiert. All dies hat Gold über Jahrhunderte zu einem begehrten Vermögenswert gemacht. Es stand damals wie heute für Wohlstand und Macht. Allerdings ist eine wesentliche Intention hinzugekommen; nämlich die der Kapitalanlage in Gold.

Kurswert als zentrales Kriterium

Die Kapitalanlage in Gold liefert keinen Ertrag. „Ertrag" setzt der einvernehmlichen Definition nach voraus, dass die bloße Kapitalanlage Geld abwirft. Im Zeitraum der Geldanlage in Gold ist dies jedoch nicht der Fall. Im Gegensatz zu Aktien, die Dividende ausschütten, einer Immobilie, die Mieteinnahmen generiert, oder Sparbüchern, die Zinsen erbringen, liegt Gold im ausgewählten Lagerraum. Somit – da es keinerlei passive Einnahmen zu verzeichnen gilt – ist der Kurswert die einzige Messlatte, um den Mehrwert der Investition in Gold zu bewerten. Der Kurswert gibt an, zu welchem Preis Gold gehandelt wird. Gold wird in US-Dollar pro Unze gehandelt. Beim Verkauf ihres Goldes erhalten Anleger den Erlös zunächst in US-Dollar ausgezahlt. Diesen müssen sie in € umtauschen. Unze ist die Maßeinheit für Gold. Eine Unze hat das Gegenmaß von 28,35 Gramm. Daraus ergibt sich die Angabe des Kurswertes in US-Dollar/Unze.

Somit ist die einzige Möglichkeit, durch Gold Erlöse zu generieren, der Verkauf. Betrachtet man die Entwicklung der Kurswerte seit 1900, ergibt sich folgendes Bild:

Jahr	Kurswert
1900	18,96
1930	20,65
1940	33,85
1970	36,02
1975	160,86
1980	615
2006	603,46
2007	695,39

2008	871,96
2009	972,35
2010	1.224,53
2011	1.571,52
2012	1.668,98
2013	1.411,23
2018	1.268,49

Quelle: statista.com[74]

Die Jahreszahlen sind bewusst in variierenden Abständen gewählt und illustrieren die Entwicklung während der Finanzkrisen sowie die Meilensteine im betrachteten Zeitraum. Dadurch soll das Verhalten des Goldes in Krisenzeiten nachvollzogen werden.

Seit 1900 verzeichnete Gold bis 1930 insgesamt ein Wachstum um 2 US-Dollar pro Unze, wobei in den letzten zehn Jahren (von 1920 bis 1930) ein minimaler Wertverlust zu beobachten war. Zwischen 1930 und 1940, als die *Great Depression* als die erste große Weltwirtschaftskrise kam, verzeichnete Gold einen zur damaligen Zeit beachtlichen Wertzuwachs im Zehnjahreszeitraum. Dies ist als erster Meilenstein in der historischen Wertentwicklung zu betrachten.

Bis 1970 stieg der Wert um 1,17 US-Dollar pro Unze an, woraufhin in den folgenden fünf Jahren ein Anstieg des Wertes um 124,84 US-Dollar pro Unze folgte – der zweite Meilenstein. In diesem Zeitraum gab es die Ölpreiskrise, deren wirtschaftliche Auswirkungen global massiv spürbar waren.

Bis 1980 vervielfachte sich der Goldpreis. Die gesamten 70er Jahre boten mit politischen Ereignissen, die die weltweite Wirtschaft betrafen, Nährboden für die spektakuläre Wertentwicklung des

---

74 Vgl. https://de.statista.com/statistik/daten/studie/156959/umfrage/entwicklung-des-goldpreises-seit-1900/

Goldes. Das im Volksmund als „krisensicher" betitelte Gold war in seiner Rolle als zuverlässige Geldanlage geboren, könnte man sagen. Allem voran das Jahr 1980, welches die Welt mit der Wahl des erzkonservativen Ronald Reagan zum US-Präsidenten, Attentaten, Boykotts der Olympischen Spiele wegen des sowjetischen Einmarsches in Afghanistan sowie weiterer Ereignissen nationaler und globaler Größenordnung erschütterte, verzeichnete mit einem mehr als hundertprozentigen Goldpreisanstieg den dritten Meilenstein in der Historie des Goldes.

Bis 2006 reduzierte sich der Goldpreis um einen vergleichsweise minimalen Betrag. Mit Aufkommen der Weltwirtschaftskrise, der Euro-Krise und Platzen der Immobilien-Blase in den USA kam es seit 2006 bis 2012 Jahr für Jahr zu einer Steigerung des Goldwerts, wobei das Jahr 2012 mit 1.668,98 US-Dollar pro Unze den historischen Spitzenwert darstellt.

Seitdem ist der Goldpreis bis 2018 auf 1.268,49 US-Dollar pro Unze gefallen.

Erkenntnisse zur Wertentwicklung des Goldes

Die Übersicht über eine Auswahl der Kurswerte und wichtigsten Meilensteine in der Entwicklung des Goldwertes zeigt, dass Gold keineswegs als wertstabil angesehen werden kann. Die großen Schwankungen im Laufe der Jahre veranschaulichen, dass eine Volatilität gegeben ist, die in den jüngsten Zeiträumen bis zu mehrere Hundert US-Dollar pro Unze jährlich betrug.

Dabei lässt sich ein Zusammenhang zu Krisenzeiten feststellen: In diesen Zeiten fielen die Aktienkurse in der Gesamtbetrachtung, während Gold an Wert zulegte. Dies hat allerdings keine Sicherheit in Krisenzeiten zur Folge: Der Großteil der weltweiten Goldreserven befindet sich bei den Zentralbanken und wird von den Staaten als Absicherung genutzt. Es gibt zwar Abmachungen zwischen den Zentralbanken, Gold in begrenzten Mengen zu verkaufen, um keinen Wertverfall zu verursachen. Sollten nämlich mehrere Banken zur gleichen Zeit entscheiden, Gold zum Verkauf

auf den Markt zu bringen, würde mit der Zeit das Angebot die Nachfrage übertreffen. Ist dies der Fall, so reduziert sich aufgrund des Überangebots der Preis einer Ware. Den Abmachungen der Zentralbanken jedoch lässt sich nicht blind trauen.

Unterzieht man die Wertentwicklung des Goldes einem Vergleich mit der Entwicklung des Deutschen Aktienindex (DAX), so ergibt sich für den Zeitraum 2008 bis 2018 für den DAX eine Rendite von 66,5 %[75], während Gold anhand der Daten aus der vorigen Tabelle einen Zuwachs von knapp 45 % verzeichnet. Zugegebenermaßen handelt es sich auch beim Gold um eine beachtliche Rendite, wenngleich nicht geleugnet werden kann, dass der untersuchte Zeitraum die Ausnahme in der gesamten Historie des Goldwertes bildete und von einem Negativtrend zum Ende hin begleitet wurde.

Verwahrung des Goldes als besondere Anforderung

Zu guter Letzt muss darauf eingegangen werden, dass Gold wie jeder Sachwert eine Verwahrung erfordert. Während dies bei Immobilien durch das Grundstück an sich geregelt ist, sind alle anderen Sachwerte entsprechend zu lagern. Da der Wert des Goldes kulturell bedingt einer breiten Spanne der Bevölkerung bekannt ist, sind Goldeigentümer ein potenzielles Ziel für Diebstähle. Dementsprechend ist eine Lagerung in den eigenen vier Wänden nur unter einem erhöhten Sicherheitsaufwand empfohlen. Ein simples Versteck reicht höchstens bei geringen Goldmengen. Ab Goldmengen, die fünfstellige Beträge erreichen, ist über einen sicheren Safe bis hin zu Überwachungskameras jedes Szenario denkbar, was wiederum die Anschaffungskosten und die laufenden Kosten für Security-Ausstattung erhöht. Bei einer Lagerung in der Bank ist ein Schließfach zu mieten, welches mit höherer Kapazität im Preis steigt. Des Weiteren fällt neben der Verwahrung der einmalige Versand des Goldes

---

an, der durch die strengen Sicherheitsvorkehrungen ebenfalls ein kostspieliges Unterfangen ist.

Hinweis!

Neben Gold als Sachwert sind Investitionen in Gold auf Basis von Vermögenswerten möglich. Diesbezüglich existieren Fonds und Zertifikate, die den Goldkurs abbilden. Dies ermöglicht eine Investition in Gold ohne den Aufwand der Aufbewahrung.

Fazit

Die Wertentwicklung des Goldes ist als beeindruckend zu bewerten. Der regelmäßig steile Anstieg hat im Vergleich zu den Zeiten des Wertverfalls unterm Strich überwogen und Gold zu einer über die Jahrzehnte gefragten Kapitalanlage gemacht. Allem voran die Krisenstabilität, von der bis zum jetzigen Zeitpunkt gesprochen werden kann, legt ein Investment in Gold nahe. Durch die Abmachungen zwischen den Zentralbanken darf mit Vorsicht davon ausgegangen werden, dass Gold keinem rapiden Preisverfall unterliegen wird. Dennoch sorgen die hohen Schwankungen, die auch nach unten führen, für ein ungewisses Investment über kurz- und mittelfristige Zeiträume. Dementsprechend bietet eine Kapitalanlage in Gold die höchste Sicherheit und die höchsten Aussichten auf eine lukrative Rendite bei einem langfristigen Anlagehorizont, der mehrere Jahrzehnte umfasst. Bei einem Zeitraum von fünf bis zehn Jahren kann sich nicht darauf verlassen werden, auch wenn dies in der Vergangenheit oftmals Erfolg gezeigt hätte. In Relation zum Ertrag sind die hohen Kosten für Lagerung und Sicherheit sowie Versand nur bei größeren Beträgen und einem langen Anlagehorizont zu rechtfertigen. Dementsprechend sind Wertpapiere, Immobilien und Immobilienfonds im Vergleich die zu bevorzugenden Kapitalanlageformen. Die Sparkasse empfiehlt, maximal zehn Prozent des eigenen Vermögens in Gold anzulegen[76]. In derselben Größenordnung liegen auch die Empfehlungen anderer

---

[76] Vgl. https://www.sparkasse.de/themen/wertpapiere-als-geldanlage/anlegen-in-gold-irrtuemer.html

Experten. Als ausschlaggebendes Argument ist die Beimischung zu einem Aktiendepot zu nennen: Sofern eine Krisenzeit anbricht, ist die Spekulation berechtigt, dass eine mögliche Wertsteigerung des Goldes die Verluste aus dem Aktienmarkt relativiert.

Bewertung

- Der Goldwert schwankte in der Vergangenheit bis heute immens

- Insgesamt hat Gold in seiner Historie beachtliche Kursgewinne, aber ebenso mehrere Negativentwicklungen verzeichnet

- Gold weist einen hohen Versand-, Lagerungs- und Sicherheitsaufwand auf

→ Wenn Kapital in Gold angelegt wird, dann sollte der investierte Betrag maximal zehn Prozent des eigenen Vermögens ausmachen.

Weitere Anlageformen: Altersvorsorgeverträge, Kryptowährungen, Weine

Zuletzt wird eine Reihe an Anlageformen vorgestellt, die das Portfolio komplettieren, jedoch nicht bzw. nur unter Umständen als Kapitalanlage geeignet sind. Entsprechende Umstände erläutern die folgenden Abschnitte in Kürze. Ziel dieses Unterkapitels ist es, den Vollständigkeitsanspruch des kompletten Kapitels zu erfüllen. Eventuell wird der ein oder andere Leser in den nächsten Abschnitten eine Inspiration entdecken, die ihm bisher vorenthalten geblieben ist, sodass dieses Kapitel einen weiteren Zweck erfüllt.

Altersvorsorgeverträge

Diese wurden bereits im ersten Kapitel des Buches kritisch begutachtet. In dem Zusammenhang war die Rede von geringen Zinsen, die die Inflation nicht ausgleichen. Die Versicherer haben dies im Laufe der letzten Jahre erkannt und ihr Angebot dem Wertpapiermarkt geöffnet. Seitdem gibt es fondsgebundene Altersvorsorgeverträge, die durch die Renditen der jeweiligen Fonds entweder Gewinne erzielen oder Verluste verzeichnen. Die Versicherungsgesellschaft betreibt hierzu mit den eigenen Fonds Wertpapierhandel. Auch wenn die Hochrechnungen bei einigen der Versicherer eine hohe Renditeaussicht aufweisen, bleiben die fondsspezifischen Risiken erhalten. Somit besteht die Gefahr, am Ende der Vertragslaufzeit weniger ausgezahlt zu erhalten, als man eingezahlt hat. Verträge wie die Rürup-Rente für Selbstständige können fondsgebunden sein und weisen als Basisvorsorge den Vorteil der steuerlichen Absetzbarkeit auf. Kernproblem ist die bei einigen Verträgen, wie beispielsweise der Rürüp-Rente, schlechte Verfügbarkeit des Geldes. Zwar können Einzahlungen variiert und sogar bis zum Rentenbeginn pausiert werden, jedoch lässt sich das eingezahlte Kapital nicht vor dem Rentenbeginn auszahlen.

Kryptowährungen

Es war der Sonntagmittag am 17.12.2017, als die Kryptowährung Bitcoin die Grenze von 20.000 US-Dollar pro Coin durchbrach[77] und zum damaligen Zeitpunkt eine Rendite von über 5.000 % in einem Drei-Jahres-Zeitraum verzeichnete. Damals erregten neben Bitcoin ebenso andere Kryptowährungen Aufmerksamkeit. Der Aspekt der Dezentralisierung, die ein von den Zentralbanken und der Kontrolle des Staates entkoppeltes Zahlungsinstrument vorsieht, ist eines der zentralen Merkmale des Bitcoin und der meisten weiteren Kryptowährungen. Mittlerweile (Stand: Dezember 2019) hat der Bitcoin im Vergleich zum Höchststand mehr als die Hälfte seines Wertes verloren. Dennoch darf sich die Jahresrendite seit Dezember 2018 mit 104,4 %[78] sehen lassen. Als Zahlungsmittel wird der Bitcoin ebenfalls verwendet. Die Blockchain-Technologie, über die die Zahlungen abgewickelt werden, haben zahlreiche Banken mittler-

---

[77] Vgl. https://www.faz.net/aktuell/wirtschaft/bitcoin-kurs-durchbricht-20-000-dollar-marke-15346337.html

[78] Vgl. https://www.finanzen.net/devisen/bitcoin-euro/chart

weile als Experiment adaptiert, da die Zahlungsverläufe wesentlich schneller ablaufen als bei den bisherigen Technologien der Bank. Um den Sachverhalt zu verdeutlichen: Dauert es bei traditionellen Banküberweisungen bis zu mehreren Wochen, bis Geld in Entwicklungsländer überwiesen wird, so ermöglicht die Blockchain dies in rund einer Stunde.

Wein, Whiskey, Antiquitäten, Oldtimer und weitere...

Da es sich um Formen der Kapitalanlagen handelt, die inflationsgeschützt sind, wird nach den Immobilien und Gold auf eine Reihe weiterer Sachwerte eingegangen, die jedoch ausschließlich Kennern vorbehalten sind. Die Überschrift verschafft einen Eindruck davon, worum es sich handelt. Es sind Produkte, die neben den Kapitalanlegern insbesondere für Händler und Konsumenten von Interesse sind. Oldtimer beispielsweise sind des Öfteren bei leidenschaftlichen Sammlern beliebt, während hochwertige Weine und Whiskeys außer in Sammlern auch in Genießern eine Zielgruppe finden. Da bei all diesen Sachwerten viele Details zu beachten sind, sind diese Kapitalanlagen ausschließlich für Kenner geeignet, die z. B. beim Wein bei all den Cuvées, Jahrgängen, Anbauorten, Rebsorten und weiteren Kriterien den Durchblick behalten. Entsprechende andere Kriterien gelten bei Antiquitäten – ob Kunstwerke oder Bücher – und Oldtimern verschiedenster Art. Darüber hinaus muss eine adäquate Aufbewahrung sichergestellt sein.

Fazit

Die weiteren Anlageformen reichen von den bereits altbekannten, neuerdings jedoch fondsgebundenen, Altersvorsorgeverträgen über die in den Fokus gerückten und Stand jetzt hochspekulativen Kryptowährungen bis hin zu Sachwerten für Kenner.

Letzten Endes sind sämtliche dieser Anlageformen nicht empfehlenswert. Grund dafür sind bei den Altersvorsorgeverträgen die Risiken, die – und dies ist ausschlaggebend – von der fehlenden Verfügbarkeit des Vermögens bis zur Rente begleitet werden. Zwar soll eine Immobilie, bis die Finanzierung abbezahlt wurde, ebenfalls nicht verkauft werden, doch generiert sie zwischendurch bereits Mieteinnahmen und wird durch Fremdkapital gehebelt.

Die Kryptowährungen stecken metaphorisch formuliert noch in den Kinderschuhen. Den aussichtsreichen Prognosen zum Trotz ist insbesondere hier Vorsicht geboten. Wenn hier Geld angelegt wird, dann lieber nur geringe Beiträge – quasi Spielgeld. Werden die Kryptowährungen die aussichtsreiche Zukunft erhalten, die ihnen vorhergesagt wird, werden geringe Investitionen mutmaßlich ohnehin hohe Wertsteigerungen verzeichnen.

Zu guter Letzt sind die antiquarischen Sachwerte sowie Weine, Whiskeys und Oldtimer vielversprechende Kapitalanlagen, die allerdings zur Realisierung von Gewinnen einen Abnehmer finden müssen, der mehr zu bezahlen bereit ist, als man dies selbst tat. Um Fehlinvestitionen zu vermeiden, ist eine genaue Kenntnis über die Produkte unabdingbar. Anleger müssen beim jeweiligen Sachwert Fachleute sein oder sich von Fachleuten unterstützen lassen. Letzteres erfordert wiederum Investitionen.

Bewertung

♦ Von fondsgebundenen Altersvorsorgeverträgen ist aufgrund der schlechten Verfügbarkeit des Geldes strikt abzuraten

♦ In Kryptowährungen sollten – wenn überhaupt – nur symbolische Kleinbeiträge angelegt werden

♦ Sachwerte außer Gold und Immobilien erfordern detaillierte Fachkenntnisse, um Gewinne zu realisieren

→ Es gibt weitaus sicherere, vielversprechendere und mit weniger Aufwand verbundene Kapitalanlagen

Zusammenfassung: Aufteilung der Investitionen als denkbares Szenario

Die Erörterung verschiedener Kapitalanlageformen im Verlaufe dieses Kapitels hat gezeigt, dass mit Ausnahme der fondsgebundenen Altersvorsorgeverträge keine Kapitalanlage komplett auszuschließen ist. Selbst Gold, Antiquitäten und Kryptowährungen haben unter Umständen in geringen Anteilen eine Daseinsberechtigung im eigenen Vermögensportfolio. Aktienfonds und Immobilienfonds als Arten von Wertpapieren sind auf dem Prinzip der Risikostreuung aufgebaut und bieten bei langen Anlagehorizonten die Aussicht auf starke Renditen bei einer höheren Sicherheit als Einzelinvestments. Auf Basis einer Analyse mit dem Dreieck der Kapitalanlagen ist jedoch der Schluss berechtigt, dass keine der alternativen Kapitalanlageformen im Vergleich zu Immobilien ein derart hohes Maß an Sicherheit, Rendite und Liquidität zugleich in Aussicht stellt. Dementsprechend ist es lohnend, Immobilien als Kapitalanlage zu priorisieren und weitere Anlageformen – in diesem Fall in erster Linie Aktienfonds oder Gold – dem eigenen Vermögensportfolio beizumischen. Zuletzt ist auch eine Investition mit etwas „Spielgeld" in Kryptowährungen möglich, was allerdings nicht die Regel sein sollte. Immobilienfonds wiederum sind eher als Übergangslösung geeignet, wenn eine eigene Immobilie noch nicht finanzierbar ist.

Schlusswort

Eine Kapitalanlage in Immobilien bietet Aussichten auf hohe Renditen und baut Vermögen auf. Sie kombiniert unter allen Kapitalanlageformen die drei Aspekte des Renditedreiecks Sicherheit, Rendite und Liquidität am attraktivsten. Dabei ist neben dem Vermögensaufbau und der Rendite aus Sicht der Investoren für einen noch viel breiteren Teil der Bevölkerung die Möglichkeit zur Aufstockung der eigenen Altersrente durch Immobilien interessant. Kapitel 1 und dessen Rechnungen haben gezeigt, dass von der Rente am Ende des Lebens für mehr als die Hälfte der Bevölkerung wenig übrig bleibt. So droht die Altersarmut oder ein immens sinkender Lebensstandard im Alter; im Alter, wo endlich die Zeit gegeben ist, um den Ruhestand zu genießen und sich die Zeit mit den Dingen zu vertreiben, für die zuvor keine zeitlichen Kapazitäten verfügbar waren. Eine Kapitalanlage des eigenen Geldes und eine Erweiterung der Altersvorsorge nehmen somit eine wichtige Stellung ein. Hier haben in der Vergangenheit neben Immobilien auch Gold, vereinzelt Wertpapiere, jüngst Kryptowährungen und weitere Anlageformen beachtliche Renditen eingefahren. Doch außer Immobilien weisen sie allesamt Defizite in einem der beiden Punkte Sicherheit und Rendite auf. Allenfalls empfiehlt es sich, die alternativen Kapitalanlageformen als Ergänzung zur Immobilie heranzuziehen, doch der Großteil des eigenen Kapitals ist in Immobilien am sichersten aufgehoben.

Zur Kapitalanlage in Immobilien gibt es verschiedene Strategien: Von dem Handel mit Immobilien über den Aufbau eines Immobilienbesitzes zur Vermietung über mehrere Jahrzehnte hinweg bis hin zur Vermietung von Ferienwohnungen oder des eigenen Dachs als Sonnendach für Investoren in Photovoltaikanlagen! Die Anlagestrategie, die dem Begriff der Kapitalanlage dabei am meisten gerecht wird, ist die Vermietung der eigenen Immobilie. Hierfür kann eine Immobilie sowohl finanziert als auch mit Eigenkapital direkt gekauft werden. Tatsache ist, dass sogar eine Finanzierung der Immobilie sich in diesem Kontext lohnt, da der Großteil des Kredits durch die Mieteinnahmen sowie die Steuervorteile finanziert wird. Lediglich ein vergleichsweise geringer monatlicher Anteil, der durch die Mietsteigerungen immer weiter sinkt, reicht bereits für die Rückzahlung der Kreditsumme sowie der Schuldzinsen aus. So wird der Wunsch von der Immobilie für einen Großteil der Arbeitnehmer zur Realität, da eine Finanzierung bereits bei einem Einkommen von 1.800 € bis 2.000 € netto pro Monat möglich ist. Am Ende steht eine optimale Altersvorsorge, die in Sachen Rendite und Vermögensaufbau die gesetzliche Rentenversicherung übertrifft.

Um die Steuervorteile adäquat auszunutzen, hat der Gesetzgeber Vermietern durch mehrere Gesetze ermöglicht, Kosten und Abnutzung des Gebäudes geltend zu machen. Allem voran die Abschreibung für Abnutzung ist ein vorteilhaftes Instrument, das nur Vermieter oder Eigentümer einer Immobilie in gewerblicher Nutzung geltend machen dürfen, nicht jedoch Personen, die ein Heim zur Eigennutzung erwerben. Die Abschreibung ermöglicht es, über einen Zeitraum von 40 oder 50 Jahren bei Vermietung zu Wohnzwecken den kompletten Gebäudewert abzuschreiben. Diese und weitere Aspekte sind mit Formeln, die auf einfacher Mathematik basieren, leicht zu errechnen und steuerlich geltend zu machen.

All die Vorteile der Immobilie als Kapitalanlage kommen jedoch nur zur Geltung, sofern die Immobilie in einer Lage mit Potenzial zur Wertsteigerung gewählt wird. Eine solche Lage befindet sich nicht in Städten, in denen die Immobilien- und Mietpreise gefühlt den Gipfel erreicht haben, wie es in München, Stuttgart,

Berlin, Hamburg und Düsseldorf bereits der Fall ist; um nur einige solcher Städte zu nennen. Es empfiehlt sich, die Mietspiegel und Kaufpreise der vergangenen Jahre in kleineren Städten einer Prüfung zu unterziehen, um sich Wachstumspotenziale zu erschließen. Hier stechen beispielsweise Leipzig, Dresden, Essen, Bochum und Dortmund zunehmend positiv hervor. Durch eine aufmerksame Beobachtung der Entwicklungen von Kriminalität, Einkommensstruktur, Infrastruktur und weiterer Faktoren lässt sich erschließen, wo die Entwicklung des Stadtteils oder gar der ganzen Stadt hinführen könnte. So erlangen die Immobilienauswahl sowie das eigene Investment noch mehr an Sicherheit. Die Lagekriterien gelten für sämtliche Arten von Immobilien, wobei egal ist, ob diese zur Vermietung oder zum An- und Verkauf gekauft werden.

Der An- und Verkauf von Immobilien ist eine gewerbliche Tätigkeit und somit nur im ferneren Sinne als eine Form der Kapitalanlage zu bezeichnen. Um Personen mit diesen Zielen gerecht zu werden und neue Perspektiven aufzuzeigen, hat dieser Ratgeber auch dieses Thema in einem separaten Kapitel kurz aufgeführt.

Den Großteil der Kapitalanlage bildete in diesem Ratgeber die Vermietung von Immobilien, wobei sämtliche Grundlagen genau erläutert wurden. In meinem Buch „Immobilien kaufen, vermieten und Geld verdienen" erhält der Leser eine Schritt-für-Schritt-Anleitung, die durch die Auswahl der Immobilie samt mehreren Berechnungsmethoden, die Vorgehensweise bei der Finanzierungsplanung und die Vermietung an sich führt, um nur einige Punkte zu nennen. Mit Hilfe dieses Ratgebers wird sichergestellt, dass Personen ihr Kapital nicht nur in Immobilien anlegen können, sondern imstande sind, dies mit den größten Renditeaussichten durchzuführen.

Viel Erfolg bei Ihren Bemühungen!

Gratis-Bonusheft

Vielen Dank noch einmal für den Erwerb dieses Buches. Als zusätzliches Dankeschön erhalten Sie von mir ein E-Book, als Bonus und völlig gratis.

Sichern Sie sich jetzt den **Immobilien Schnellreport!**

Dieser Report beinhaltet eine Übersicht über Top-Städte in Deutschland zur Kapitalanlage. Insgesamt werden zehn Städte vorgestellt, in denen Immobilien aktuell zu fairen Preisen erhältlich sind und eine potenziell große Entwicklung vor sich haben.

Sie können das Bonusheft folgendermaßen erhalten:

Um die geheime Download-Seite aufzurufen, öffnen Sie ein Browserfenster auf Ihrem Computer oder Smartphone und geben Sie Folgendes ein: *www.berndebersbach.com/bonus*

Sie werden dann automatisch auf die Download-Seite geleitet.

Bitte beachten Sie, dass dieses Bonusheft nur für eine begrenzte Zeit zum Download verfügbar ist.

Glossar

Aktiva	Zeigt in der Bilanz das Vermögen des Unternehmens auf
AfA	Abschreibung für Abnutzung, hier wird der Wert des Gebäudes über einen gesetzlich vorgeschriebenen Zeitraum abgeschrieben
DAX	Deutscher Aktienindex; misst die Wertentwicklung der 30 größten und vermögendsten Unternehmen des deutschen Aktienmarktes
Disagio	Aufgeld bei Kreditvergabe, welches den Nominalzins senkt
Effektiver Jahreszins	Gibt die jährlichen Gesamtkosten der Schuldzinsen eines Kredits an
Geldwert	Monetäre Werte (z. B. Kontostand, Bargeld), die nicht vor der Inflation geschützt sind
Gentrifizierung	Aufwertung von Stadtteilen
GRV	Gesetzliche Rentenversicherung (Abkürzung)
Inflation	Entwertung des Geldes durch Anstieg des Preisniveaus

Instandhaltungsrücklage	Hat jeder Vermieter zu bilden, um bei Schäden den finanziellen Aufwand von Instandhaltungsmaßnahmen stemmen zu können
KAG	Kapitalanlagegesellschaft
KFW-Bank	„Kredit für Wiederaufbau"-Bank, die Förderungen und Zuschüsse für bauliche Maßnahmen vergibt
Nominalzins	Siehe „Effektiver Jahreszins"
Passiva	Zeigt in der Bilanz auf, wie das Unternehmen das eigene Vermögen finanziert hat
Risikostreuung	Prinzip der Risikostreuung findet im Wertpapierhandel Anwendung; es wird in mehrere Wertpapiere oder Immobilien investiert, um die Risiken für Wertverlust durch eine Streuung auf mehrere Investments zu verringern
Sachwert	Wert, der einer Sache (z. B. Gold, Immobilie) zugeordnet ist
Spekulationsfrist	Dauert dem Gesetz nach 10 Jahre und sieht eine Erhebung von Steuern auf die Gewinne aus dem An- und Verkauf innerhalb dieser 10 Jahre vor
Tilgung	In Prozent angegebene Rate, mit der die Kreditsumme abbezahlt wird

Quellenverzeichnis

Literatur-Quellen:

Hebisch, B.: *Immobilien richtig besichtigen*. Taunusstein: Blottner Verlag GmbH, 2018.

Siepe, W.: *Immobilien verwalten und vermieten*. Berlin: Stiftung Warentest, 2018.

Online-Quellen:

https://www.welt.de/finanzen/immobilien/article140709048/Wohneigentum-macht-die-Deutschen-gluecklich.html

https://www.rechnungswesen-verstehen.de/lexikon/passives-einkommen.php

https://de.statista.com/themen/1127/betriebliche-altersversorgung/

https://www.tagesgeldvergleich.net/tagesgeldvergleich/sparbuch.html

https://www.rechnungswesen-verstehen.de/bwl-vwl/vwl/Inflation.php

http://www.bpb.de/politik/innenpolitik/rentenpolitik/223417/umlageverfahren-ruecklagen

https://de.statista.com/themen/293/durchschnittseinkommen/

http://www.bpb.de/politik/innenpolitik/rentenpolitik/223009/
die-rentenformel

https://www.deutsche-rentenversicherung.de/SharedDocs/
Downloads/DE/Broschueren/national/rente_so_wird_sie_be-
rechnet_alte_bundeslaender.pdf?__blob=publicationFile&v=6

https://www.deutsche-rentenversicherung.de/DRV/DE/Rente/
Allgemeine-Informationen/Wie-wird-meine-Rente-berechnet/
wie-wird-meine-rente-berechnet_node.html

https://www.krankenkassen.de/gesetzliche-krankenkassen/kran-
kenkasse-beitrag/rentner/

https://www.lohnsteuer-kompakt.de/fag/2019/442/wie_wird_
die_gesetzliche_rente_besteuert

https://www.vlh.de/krankheit-vorsorge/altersbezuege/wann-
muss-ich-als-rentner-steuern-zahlen-und-wie-viel.html

https://www.morgenpost.de/berlin/article217337363/Miet-
spiegel-2019-Berlin-Miete-Wohnen-Vergleichsmiete-Miet-
erhoehung.html

https://www.wohnungsboerse.net/mietspiegel-Hannover/4567

https://www.wohnungsboerse.net/mietspiegel-Muenchen/2091

https://www.wohnungsboerse.net/mietspiegel-Hamburg/3195

https://www.hausgold.de/immobilienpreise/immobilienpreisent-
wicklung/

https://www.wohnungsboerse.net/Immobilienpreise/immobi-
lien-Berlin-2825.pdf

https://www.wohnungsboerse.net/Immobilienpreise/immobilien-Muenchen-2091.pdf

https://www.wohnungsboerse.net/Immobilienpreise/immobilien-Stuttgart-972.pdf

https://www.immoverkauf24.de/immobilienverkauf/immobilienverkauf-a-z/notarkosten-und-grundbuchkosten/

https://www.gesetze-im-internet.de/gg/art_105.html

https://www.immoverkauf24.de/immobilienverkauf/immobilienverkauf-a-z/grunderwerbsteuer/

https://www.immoverkauf24.de/immobilienmakler/maklerprovision/#hausverkauf-check-3

https://www.gesetze-im-internet.de/beurkg/__17.html

https://www.gesetze-im-internet.de/bgb/__558.html

https://www.gesetze-im-internet.de/bgb/__489.html

https://www.gesetze-im-internet.de/woeigg/__21.html

https://www.makler-vergleich.de/immobilien-vermieten/immobilien-vermieten-tipps/vermietung-versicherung.html#2.1

https://www.steuertipps.de/gesetze/estg/35a-steuerermaessigung-bei-aufwendungen-fuer-haushaltsnahe-beschaeftigungsverhaeltnisse-haushaltsnahe-dienstleistungen-und-handwerkerleistungen

https://www.steuertipps.de/gesetze/estg/35a-steuerermaessigung-bei-aufwendungen-fuer-haushaltsnahe-beschaeftigungsverhaeltnisse-haushaltsnahe-dienstleistungen-und-handwerkerleistungen

https://www.steuertipps.de/gesetze/estg/35a-steuerermaessi-gung-bei-aufwendungen-fuer-haushaltsnahe-beschaeftigungsver-haeltnisse-haushaltsnahe-dienstleistungen-und-handwerkerleis-tungen

https://www.haufe.de/finance/finance-office-professional/anschaf-fungskosten-nach-hgb-und-estg-3-anschaffungspreis_idesk_PI11525_HI1157115.html

https://www.haufe.de/personal/haufe-personal-office-platin/einkommensteuergesetz-7-absetzung-fuer-abnutzung-oder-sub-stanzverringerung_idesk_PI42323_HI43521.html

https://www.haufe.de/personal/haufe-personal-office-platin/einkommensteuergesetz-7-absetzung-fuer-abnutzung-oder-sub-stanzverringerung_idesk_PI42323_HI43521.html

https://www.haufe.de/personal/haufe-personal-office-platin/einkommensteuergesetz-7-absetzung-fuer-abnutzung-oder-sub-stanzverringerung_idesk_PI42323_HI43521.html

https://www.gesetze-im-internet.de/estg/__7i.html

https://www.haufe.de/personal/haufe-personal-office-platin/einkommensteuergesetz-9-werbungskosten_idesk_PI42323_HI43534.html

https://www.haufe.de/finance/finance-office-professional/han-delsgesetzbuch-255-bewertungsmassstaebe_idesk_PI11525_HI2166681.html

https://www.haufe.de/personal/haufe-personal-office-platin/einkommensteuergesetz-9-werbungskosten_idesk_PI42323_HI43534.html

https://www.haufe.de/personal/haufe-personal-office-platin/einkommensteuer-durchfuehrungsverordnung-82b-behand-

lung-groesseren-erhaltungsaufwands-bei-wohngebaeuden_idesk_
PI42323_HI1278142.html

https://www.haufe.de/personal/haufe-personal-office-platin/einkom-
mensteuergesetz-6-bewertung_idesk_PI42323_HI43516.html

https://www.makler-vergleich.de/immobilien-vermieten/immo-
bilien-vermieten-tipps/vermietung-versicherung.html#2.1

https://www.uni-muenster.de/imperia/md/content/geographie-
didaktik2/materialfuerschulen/berlin/berlin_gentrification_am_
prenzlauer_berg_band_4_mit_material.pdf

https://www.tagesspiegel.de/wirtschaft/immobilien/gentrifizie-
rung-in-kreuzberg-wo-das-kapital-gesiegt-hat/24433426.html

https://bmf-esth.de/esth/2016/C-Anhaenge/Anhang-17/inhalt.html

https://bmf-esth.de/esth/2016/C-Anhaenge/Anhang-17/inhalt.html

https://www.gesetze-im-internet.de/ustg_1980/__4.html

https://www.gesetze-im-internet.de/gewstg/__11.html

https://www.gesetze-im-internet.de/bgb/__433.html

https://enev-online.com/enev_2014_volltext/16_ausstellung_ver-
wendung_energieausweise.htm

https://www.makler-vergleich.de/immobilien-verkauf/hausver-
kauf/rechtliches.html

https://dejure.org/gesetze/BGB/566.html

https://www.bkm.de/geldanlage/kapitalanlage/

https://www.boerse.de/konjunkturdaten/staatsanleihen/

https://wirtschaftslexikon.gabler.de/definition/investment-fonds-39812

https://www.finanzen.net/aktien/blackrock-aktie

https://www.finanzen.net/index/dax/seit1959

https://www.finanzen.net/aktien/berkshire_hathaway-aktie

https://www.buzer.de/gesetz/6331/a87918.htm

https://www.buzer.de/gesetz/6331/a87905.htm

https://www.buzer.de/gesetz/6331/a87864.htm

https://www.dr-stoll-kollegen.de/glossar/offene-immobilienfonds

https://www.gesetze-im-internet.de/estg/__32d.html

https://www.dr-stoll-kollegen.de/glossar/geschlossene-immobilienfonds

https://www.gesetze-im-internet.de/estg/__21.html

https://www.fondsdiscount.de/magazin/news/offene-immobilienfonds-als-stabilitaetsanker-in-unruhigen-bo-3330/

https://www.derassetmanager.de/geschlossene-fonds-wieder-im-aufwind/

https://de.statista.com/statistik/daten/studie/156959/umfrage/entwicklung-des-goldpreises-seit-1900/

https://www.finanzen.net/index/dax/historisch

https://www.sparkasse.de/themen/wertpapiere-als-geldanlage/anlegen-in-gold-irrtuemer.html

https://www.faz.net/aktuell/wirtschaft/bitcoin-kurs-durchbricht-20-000-dollar-marke-15346337.html

https://www.finanzen.net/devisen/bitcoin-euro/chart

CPSIA information can be obtained
at www.ICGtesting.com
Printed in the USA
BVHW062310211021
619525BV00003B/105